DERRIÈRE
LES VOLETS

DERRIÈRE LES VOLETS

ÉLÉONORE CANNONE

RAGEOT

ISBN 978-2-7002-3611-8
ISSN 1766-3016

Pour Arthur et Axel.

« Vous connaissez ma méthode ; elle est basée sur l'observation des riens. »

Sir Arthur Conan Doyle, « Le Mystère du Val Boscombe », in *Les Aventures de Sherlock Holmes.*

SYMPTÔMES

Hier matin, je ne me suis pas trop inquiété.

Un peu quand même mais pas vraiment.

J'ai surtout été surpris.

Surpris et déçu.

J'ai vérifié l'heure sur mon réveil.

7 heures.

Pourtant ses volets étaient toujours fermés.

J'ai attendu quelques minutes face à la fenêtre, avant que ma mère n'entre dans ma chambre pour me conseiller de me dépêcher. Je devais me préparer pour le collège.

J'ai vérifié ma température (37,3 °C), expédié ma toilette et je me suis habillé comme un bolide pour avoir le temps de profiter de mon petit-déjeuner.

Chaque matin, je bois un bol de lait chaud (= calcium), un grand verre de jus d'orange (= vitamine C) et je mange des tartines de pain complet (= fibres) recouvertes de Nutella (= cholestérol mais le moral aussi c'est important pour la santé !).

Juste avant de partir, j'ai jeté un dernier coup d'œil vers sa fenêtre. Ses volets étaient toujours clos. Peut-être qu'exceptionnellement, elle s'offrait une grasse matinée. Je lui en voulais et ma frustration a recouvert mon inquiétude naturelle. C'est déjà difficile de reprendre les cours un lundi. Pas besoin d'une déception comme cerise sur le boulot !

Aujourd'hui, c'est différent. Je commence à être vraiment inquiet. On est mardi matin et Elle n'est toujours pas au rendez-vous.

Elle, c'est ma voisine.

Nous habitons au 221 rue Boulanger.

Il y a deux immeubles. Le A dont les fenêtres donnent sur la rue d'un côté et sur la cour de l'autre et le B – celui dans lequel j'habite avec ma mère et Gertrude mon poisson (ou « ma poissonne » pour les acrobates du français) rouge – qui donne uniquement sur la cour intérieure qu'il faut traverser afin de l'atteindre. De l'autre côté, nous sommes collés-serrés au mur d'un immeuble inconnu.

Les fenêtres des immeubles A et B n'étant séparées que par cette petite cour, je dispose d'une vue dégagée sur les appartements de certains de nos voisins de l'immeuble A.

J'habite au troisième étage.

Comme Elle.

Ma voisine d'en face.

Elle a une trentaine d'années. Enfin, je crois. Quand les gens atteignent « un certain âge », je ne parviens pas vraiment à leur en donner un. Elle a l'air plus jeune que ma mère qui a quarante et un ans et plus vieille que ma cousine Chloé qui en a vingt-deux, donc j'en ai déduit qu'elle devait être au milieu.

Élémentaire, mon cher moi-même !

Je ne la connais pas vraiment. Je sais juste qu'elle a de longs cheveux blonds, un joli sourire, qu'elle n'a pas l'air très grande (ses épaules dépassent à peine du bouton d'ouverture de la fenêtre) et qu'elle vit seule depuis qu'elle a emménagé.

Il y a cinq mois.

Mais je ne connais ni son prénom ni son nom, je n'ai aucune idée du métier qu'elle exerce. Je ne l'ai jamais croisée. En chair et en os. Je ne l'ai jamais rencontrée. Qu'à travers les airs.

Seulement chaque matin (sauf les week-ends) depuis cinq mois, Elle ouvre ses volets à 7 heures tapantes. Exactement comme moi. Et tous les matins, depuis cinq mois, on se sourit et on s'échange un « bonjour ».

Ce petit rituel m'enveloppe de bonne humeur du lundi au vendredi. Même quand je n'ai pas le moral. Même quand je n'ai pas envie de partir au collège. Même quand il pleut. Même quand je suis malade. Parce que même malade, je règle mon réveil pour ne pas la rater. Juste pour la saluer et me recoucher après.

Je la soupçonne de faire comme moi. À moins qu'elle ne tombe jamais malade, que son sourire contagieux la protège des microbes. En tout cas, elle n'a jamais manqué un seul de nos rendez-vous. Pas une seule fois en cinq mois !

Et cinq mois, c'est long. Cinq mois en classe de 5e équivalent à 18 interros, 456 repas, 630 heures de cours et 15 jours de vacances scotché dans cet appart à rêver et à bouquiner en redoutant la rentrée. Une éternité !

C'est pour ça que je suis tellement inquiet ce mardi matin. Hier soir, à mon retour du collège, quand j'ai constaté que ses volets étaient toujours fermés, j'ai trouvé une explication qui tenait la route.

Peut-être qu'elle avait juste un gros rhume, peut-être qu'elle était partie en vacances, peut-être qu'elle avait décidé de vivre dans l'obscurité…

Peut-être…

Je me suis efforcé de ne pas déraper et d'empêcher mon imagination de prendre des chemins de traverse. J'ai freiné mes pensées pour ralentir la course de mes angoisses, mais aujourd'hui elles sont parties en roue libre. Mon anxiété naturelle a repris le volant et écrasé ma belle assurance. J'ai perdu le contrôle de mon esprit et ça pédale à fond dans ma tête.

Je sais bien que ce n'est pas parce qu'elle n'a pas ouvert ses volets pendant un jour et demi que quelque chose d'épouvantable lui est nécessairement arrivé.

Je reconnais que je suis d'un naturel inquiet.

Si un avion vole trop bas dans le ciel, j'envisage malgré moi sa chute imminente.

Si j'entends le bruit d'une explosion, je pense bombe avant pétard mouillé.

Si ma mère a dix minutes de retard, j'imagine qu'elle a eu un affreux accident.

Si Gertrude arrête de tourner dans son bocal pendant quelques secondes, je suis persuadé qu'elle est malade.

Si j'ai un œil qui pleure, je suis convaincu d'avoir attrapé un virus super flippant.

J'essaie d'être « raisonnable » comme me le recommandent les adultes, enfin mes adultes, c'est-à-dire ma mère, mon médecin et mes profs. Ils me reprochent de dramatiser, de m'inventer des films noirs en permanence, d'être obsédé par ma santé et les maladies et de toujours envisager le pire. Ils accusent en chœur :

– la télévision, qu'ils regardent aussi ;

– les jeux vidéo, alors que je n'y joue jamais donc je ne vois pas vraiment comment ils pourraient avoir la moindre influence sur ma façon de voir la vie ;

– et mon père parce qu'il est mort quand je n'étais encore qu'un bébé et que ce serait pour moi un « traumatisme infantile ». D'après ma mère, j'aurais une peur inconsciente d'être abandonné. J'avoue que moi, ce sont ceux qui n'en ont pas peur que je trouve inconscients !

Bizarrement, mes adultes n'incriminent jamais les livres. Les livres sont sacrés. Comme il est de notoriété scolaire que les jeunes ne lisent pas assez, personne ne critique jamais les bouquins.

Quand je pense que ma mère ne lit pas plus de quatre livres par an et encore seulement pendant les vacances d'été, je me dis que c'est le monde à l'envers.

Mais bon... Sujet tabou. Les quatre polars que je dévore chaque semaine n'ont jamais figuré sur le banc des accusés. Tant mieux !

Attention ! Je ne suis pas complètement fou non plus.

Je n'imagine pas tout de suite des trucs du genre meurtres/serial killer/terroristes/guerre. Ce sont des cas limites et donc extrêmement rares. Je suis plutôt du type accident de la route/maladie/accidents domestiques. Je fais dans l'angoisse raisonnable, dans la trouille statistique.

Il est maintenant 7 h 45.

Ses volets sont toujours fermés et je dois partir.

Moi et mon angoisse avons cours.

J'ai placé le bocal de Gertrude près de la fenêtre et lui ai demandé de surveiller la fenêtre de ma voisine. Je sais bien que même si elle l'apercevait ouvrir ses volets, elle ne pourrait pas me prévenir. Mais, pour l'instant, j'essaie seulement de faire une queue de poisson à ma peur.

Pour la noyer.

INFECTION

Pendant la journée, je n'ai pas arrêté de penser à Elle.

Qu'est-ce qui avait pu lui arriver?

Pourquoi n'était-elle pas à notre rendez-vous depuis deux jours?

Était-elle gravement malade?

Avait-elle eu un accident?

Était-elle tombée et incapable de se relever pour appeler les secours?

Avait-elle été enlevée? Violentée? Assassinée?

Mais par qui? Et pourquoi?

Qui était-elle?

Une femme quelconque qui s'était retrouvée au mauvais endroit au mauvais moment? Une espionne? Une aventurière comme l'Irène Adler de Sherlock Holmes?

J'ai essayé de me souvenir de ce qui s'était passé dans les jours précédant sa disparition. N'avais-je pas remarqué que ses volets étaient déjà fermés à mon retour du collège vendredi? Étais-je certain qu'elle les avait ouverts ce week-end? N'avais-je pas cru entendre un bruit sourd en provenance de l'immeuble d'en face dans la nuit de samedi à dimanche? Je n'étais plus sûr de rien.

Pour m'éclaircir les idées, j'ai décidé de dresser une liste avec, dans une colonne, les explications dites « raisonnables » et, dans l'autre, celles qui me submergeaient naturellement.

À la fin, les deux colonnes étaient égales. Elle pouvait aussi bien être allongée et heureuse sur une plage des Seychelles qu'allongée et inconsciente sur le carrelage de sa salle de bains.

J'étais tellement absorbé par ma réflexion que je n'écoutais rien. La voix de Mme Lokwik, notre professeur de mathématiques, formait un vague bruit de fond qui berçait ma réflexion. Si bien que lorsqu'elle m'a sorti de mes pensées en m'interpellant brutalement, j'ai eu si peur que j'ai failli avoir une crise cardiaque.

– Benoît ! Tu es où aujourd'hui ? Tu as encore un problème avec tes oreilles ?

La classe est partie d'un grand rire et moi je suis devenu aussi rouge qu'une Gertrude. Enfin, c'est l'impression que j'ai eue.

Ce n'était pas sympa de sa part de remettre cette histoire d'oreilles sur le tableau.

C'est vrai qu'un mois plus tôt, j'étais sorti précipitamment de son cours pour courir à l'infirmerie. En remettant une mèche de cheveux derrière mon oreille droite, j'avais senti une drôle de boule. J'avais essayé de ne plus y penser, mais très vite je n'avais plus pensé qu'à ça.

Qu'est-ce que j'avais pu attraper ? Les oreillons ? L'infirmière avait tenté de me tranquilliser en m'expliquant qu'on avait tous des ganglions et que, parfois, quand on était un peu fatigué ou stressé, ils augmentaient de volume.

J'avais été rassuré.

Momentanément.

Depuis, je vérifie tous les soirs avant de me coucher qu'ils n'ont pas grossi.

On ne sait jamais…

Sur le chemin du retour, j'ai pensé que ma liste ne suffisait pas pour découvrir ce qui était arrivé à ma voisine. Une de mes hypothèses

n'allait pas soudain clignoter pour me prévenir : « Ouh, ouh, Benoît. C'est moi la bonne! »

Je devais trouver un moyen de les vérifier.
Une à une. D'éliminer celles qui se révélaient
fausses. Celle qui resterait à la fin serait forcé-
ment la bonne.

Quand je suis arrivé à la maison, ma mère
n'était pas là. Ce qui était parfaitement normal
puisqu'elle n'est censée rentrer de son travail
qu'à 19 h 30.

Elle finit à 19 h 15. Enfin, c'est ce qu'elle soutient.

Elle arrive généralement entre 19 h 25 et
19 h 28, ce qui est matériellement impossible
si elle sort à 19 h 15. Sa boutique est à côté de
chez nous. Je la soupçonne de mentir pour se
donner une marge de sécurité. Je sais que ça
paraît un peu dingue mais, comme l'a souligné
mon cher Sherlock Holmes, quand vous avez
éliminé l'impossible, ce qui reste, même impro-
bable, doit être la vérité.

En plus, ma mère me téléphone toujours
avant de quitter sa boutique. Pour éviter de me
retrouver, selon ses termes, dans « tous mes
états ».

Il est vrai que, quand j'étais petit, je commençais à pleurer dès qu'elle avait plus de cinq minutes de retard, persuadé qu'il lui était arrivé quelque chose d'horrible.

Aujourd'hui, c'est différent. Je ne commence à m'inquiéter qu'à partir de 19 h 45, ce qui est un énorme progrès. Et je ne pleure plus. Je téléphone à la boutique et sur son portable. Si ça ne répond pas, je pars à la boutique. Si elle n'y est pas, j'alerte la police.

Je ne suis arrivé à cette ultime solution qu'une seule fois. Pas de quoi en faire une maladie ! Ce n'était pas ma faute si elle avait oublié de recharger la batterie de son téléphone et décidé de traîner dans un supermarché avant de rentrer.

Depuis, elle m'appelle toujours pour me prévenir si elle a une urgence au dernier moment.

Ma mère est fleuriste. Les urgences, ce n'est pas vraiment son domaine, mais bon. Parfois l'amoureux transi d'une femme fatale peut avoir besoin d'un bouquet de fleurs. In extremis.

Avant même de me débarrasser de mon sac à dos, je me suis précipité dans ma chambre.

Les volets de ma voisine n'avaient pas bougé d'une latte. Toujours aussi fermés que ce matin. Toujours aussi clos depuis deux jours.

J'ai vérifié que Gertrude n'avait rien de particulier à m'annoncer. Elle dormait à nageoires repliées parmi les algues au fond de son aquarium.

Gertrude est mon portrait dans un miroir. Inversé. Elle est aussi calme que de l'eau de roche. Elle se sent toujours à l'aise. Comme un poisson dans l'eau.

Je me suis installé à mon bureau afin de rédiger ma rédaction pour le lendemain. Je n'arrivais pas à me concentrer. J'avais la tête ailleurs. Penchée vers la fenêtre.

Malgré les rayons ultraviolets (extrêmement nocifs pour la santé) et ma phobie du changement, j'ai déplacé mon bureau pour le positionner devant la fenêtre. Histoire d'attendre l'inspiration en surveillant du coin de l'œil ses volets.

Efficacité zéro.

Je ne parvenais pas à penser à autre chose qu'à Elle.

J'ai abandonné ma rédaction et décidé d'échafauder un plan pour déterminer ce qui lui était arrivé.

J'avais une heure avant le retour de ma mère. Je préférais ne pas lui parler de ma nouvelle prise de tête.

Pour plusieurs raisons :

1 - Elle se moquerait de moi et de mes « faux » problèmes. Mon humiliation en cours cet aprèm m'avait largement suffi !

2 - Elle me conseillerait de me mêler de mes oignons et trouverait une ETS (Explication Toute Simple) à la disparition de ma voisine – explication qui figurerait déjà dans ma colonne « raisonnable » et donc ne me servirait à rien.

3 - Mais surtout, surtout, je n'avais parlé de notre petit rituel à personne. C'était mon secret, mon bonjour de paradis. Cela ne regardait qu'Elle et moi. C'étaient nos oignons justement.

Il me restait une heure pour commencer à mettre à exécution mon plan. En partant du principe optimiste que j'en trouverais un... de plan.

INCUBATION

J'ai sorti ma liste et j'ai commencé à réflé-chir. Comme l'explique Sherlock Holmes, il ne sert à rien de bâtir une théorie avant de dispo-ser de données. Et pour connaître les faits, il procède toujours ainsi :

• Il se rend sur les lieux du crime. À exclure puisque je n'ai pas les clefs de son apparte-ment. Évidemment si tel était le cas, ça serait beaucoup plus simple ;

• Il cherche des indices... un peu partout. Ce qui se résume ici à... vraiment nulle part ;

• Il interroge les témoins. Des témoins j'en ai. Certes pas de premier choix, mais des témoins quand même. Mes voisins !

Je devais les interroger un à un. Subtilement. Sans rien leur dévoiler.

J'ai dessiné un petit schéma de notre immeuble pour les avoir tous en tête :

Immeuble A	Immeuble B	
Couple	Jeune homme	
Elle	**Nous**	
Djeuns	Appartement Mystère	*Autre Immeubl*
Appartement vide (?)	Sorcière	
Rue Boulanger — *Hall d'entrée Boîtes aux lettres A & B* — **Cour**	*Hall*	

Puis j'ai noté l'ordre dans lequel je voulais les questionner.

En premier, les plus proches de ma voisine : le couple au-dessus de chez elle et les djeuns d'en dessous. A priori les djeuns sont là dans la journée (chaque fois que je n'ai pas cours, je les vois naviguer depuis ma fenêtre) donc je peux leur rendre visite à n'importe quelle heure. Quant au couple du dessus, il rentre tous les soirs entre 19 heures et 19 h 30 (heure à laquelle la lumière s'allume chez lui).

Après j'avais le choix. Alors j'ai établi un ordre de préférence.

D'abord le jeune homme qui habite au-dessus de chez moi. Je le croise de temps en temps dans les escaliers et il répond à mon bonjour d'un ton enjoué. Il rentre vers 18 h 30 (j'entends tous les soirs sa porte s'ouvrir et se refermer vers cette heure-là).

Ensuite Mme Fabiani, la vieille sorcière du premier qui me fait peur depuis toujours. Elle ne sort quasiment pas de chez elle. Elle est entièrement vêtue de noir. Elle ne me répond jamais quand je la salue et sa porte est décorée de grigris étranges. Ma mère me racontait souvent des histoires avec des sorcières quand j'étais petit, et je les imaginais toujours avec la tête de cette femme.

Après il ne me resterait que les « ? ». C'est-à-dire :

• L'appart Mystère ou M (dixit moi-même).

Il est situé juste en dessous du nôtre. Il demeure parfois muet pendant plusieurs jours. Puis, soudain, il est habité par des tas de bruits. Bruits d'une personne seule (actions courantes : claquement de porte, chasse d'eau, déplacement de valise à roulettes), d'un couple (sons identiques + conversations) et plus rarement d'une famille (même musique + hurlements d'enfants). Puis, de nouveau personne.

J'habite ici depuis la mort de mon père (il y a 11 ans, 5 mois et 27 jours) et jamais je n'ai vu deux fois la même personne entrer ou sortir de cet appartement. Je penche pour une planque. Ma mère, elle, reste persuadée qu'il s'agit d'une location à la semaine. Pour l'instant, aucune de ces hypothèses n'a pu être vérifiée.

Pour l'instant…

• L'appart vide.

Il est situé en dessous de celui des djeuns, en face de celui de la sorcière, et paraît déserté. Mais est-ce vraiment le cas ? Une nuit où je me suis réveillé après un abominable cauchemar (mes dents tombaient suite à une carie mal diagnostiquée qui s'était brusquement infectée), j'y ai vu de la lumière. Enfin, je crois.

Le lendemain matin, je ne savais plus si cette vision était réelle ou non. Peut-être, comme dans l'aventure de la *Maison vide* de Sherlock Holmes, servait-il d'observatoire ? Quel appartement permet-il de surveiller ? Le M ?

J'étais en train de finir la liste de mes futurs témoins quand ma mère est arrivée. Il était 19 h 27. Comme à son habitude, elle a pris le temps d'enlever son manteau, de retirer ses chaussures à talons, d'enfiler des baskets et de ranger ses affaires avant de vérifier si j'étais toujours vivant et conscient.

– Tiens, tu as déplacé ton bureau ? s'est-elle étonnée en entrant dans ma chambre.

– Oui. Une envie soudaine… ai-je répondu, évasif.

Elle n'a pas commenté, mais j'ai remarqué la lueur d'espoir qui avait envahi ses yeux pendant une fraction de seconde. Elle espérait que j'étais en train de changer et que j'acceptais enfin que le soleil printanier illumine mes devoirs, sans craindre, comme je le lui avais si souvent répété, de contracter un cancer cutané. Débordant de compassion filiale, j'ai omis de lui préciser que, par mesure de précaution, je m'étais enduit d'écran total (indice : plâtre), celui sans lequel je ne sors jamais une fois les « jours mélanome » de retour.

ÉVOLUTION

La nuit de mardi à mercredi a été éprouvante. J'ai eu trop chaud sous ma couette, je n'ai pas arrêté de me retourner dans mon lit et je me suis réveillé en sueur avant que mon réveil n'ait émis le moindre bourdonnement.

À peine ai-je ouvert les yeux que je me suis précipité vers la fenêtre. Ses volets étaient toujours clos. Normal ! Il n'était que 6 h 30. J'ai passé la demi-heure suivante à les fixer comme un zombie. 6 h 35... 6 h 40... 6 h 50... 7 heures... 7 h 05...

Rien. *Nada*. Que dalle.

Il était temps que je me prépare si je ne voulais pas arriver en retard au collège.

Avant de rejoindre la rue, j'ai jeté un œil aux boîtes aux lettres. Tous les soirs, je récupère notre courrier en rentrant, mais, pour une fois, je m'intéressais davantage aux boîtes qu'à leur contenu.

Je pouvais éliminer la nôtre, la boîte ensorcelée (celle de Mme Fabiani, seule voisine donc je connaissais le nom de famille), la boîte Monsieur et Madame (le couple s'appelait donc Vaudrier), la boîte sans nom (celle de l'appart M) et celle sur laquelle figuraient sept étiquettes avec des noms illisibles et des autocollants du genre « I love Amsterdam » et « Vive le vert » (celle des djeuns donc).

Il restait trois boîtes aux lettres solitaires.

Aucune ne sortait de l'ordinaire.

Aucune ne semblait déborder de courrier abandonné.

Aucune ne ressemblait à ma disparue.

À cause de cette manie de n'indiquer ni l'immeuble concerné ni les prénoms, je me retrouvais avec :

- V. Mandel ;
- V. Halcyon ;
- E. Remoullin.

Sur le chemin, je n'ai pas pu m'empêcher de me demander lequel de ces trois noms lui appartenait.

D'un côté, je préférais le E au V. Je le trouvais plus poétique, plus tendre, mais c'était subjectif car j'ai toujours eu une attirance particulière pour les voyelles.

D'un autre côté, je n'aimais pas le nom de Remoullin. Cela m'évoquait immédiatement la « rémoulade » et par association d'idées le céleri. Le céleri est un légume que je déteste. Même si, de temps en temps, je me force à en avaler car ses feuilles et ses graines contiennent des substances potentiellement bénéfiques contre le cancer.

Quant aux deux autres noms, ils sonnaient harmonieusement. Mandel allait à mon inconnue comme un instrument et Halcyon comme une chanson. Question indices par contre, ma partition ne semblait composée que de silences et de soupirs.

Toute la journée, j'ai cherché une excuse valable pour sonner chez nos voisins et leur demander des nouvelles de mon évanouie. Je ne pouvais pas débarquer comme ça, l'air de rien, et les bombarder de questions sur une parfaite inconnue. Il fallait que je trouve un sésame, parlez-moi !

J'ai éliminé :

• Le « Sauriez-vous pourquoi votre voisine du dessous a disparu ? » (trop direct);

• Le « Vous la connaissez bien votre voisine d'en face ? » (trop intrusif);

• Le « Vous avez vu la fumée qui s'échappe de la porte de votre voisine du dessus ? » (trop flippant);

• Et le « Je dois arroser les plantes de la voisine du 3e étage, immeuble A, pendant son absence, seulement elle a oublié de me donner ses clés, vous n'auriez pas un double par hasard ? » (trop gros).

En traversant la cour, j'ai tourné et retourné ces questions et soudain une idée a fusé dans mon esprit en ébullition. Et si j'annonçais d'un air assuré (à travailler d'abord devant une glace) : « Excusez-moi de vous déranger, euh je suis désolé, voilà, j'ai perdu les clés de chez moi. La voisine du... a un double, mais elle ne répond pas quand je sonne. Sauriez-vous où elle est par hasard ? » ?

Il y avait encore quelques zones floues dans cette approche.

Premièrement, comme je ne connaissais pas son nom, je serais obligé de la nommer « la voisine du... » ce qui ne laissait pas supposer une intimité-remise de clés.

Deuxièmement, je devrais me cacher en rentrant chez moi car certains risquaient de m'apercevoir et de constater que mes clés, justement, je les avais.

J'ai inspecté les alentours pour m'assurer que personne ne m'espionnait avant de sortir mon porte-clés, j'ai pénétré dans notre appartement en catimini et je suis entré dans ma chambre en rasant les murs.

J'ai vérifié que Gertrude n'avait rien contracté de grave pendant mon absence avant de baisser très lentement les stores pour ne pas attirer l'attention. J'ai juste laissé une petite ouverture pour observer ses volets.

Rien de neuf.

Ma chambre était maintenant plongée dans la pénombre. Comme je n'osais pas allumer la lumière de peur de me faire repérer, je me suis installé dans la cuisine.

Je me suis servi un Coca (sans caféine) et j'ai commencé à composer des mimiques devant une glace pour graver sur mon visage un air plein d'assurance. C'était perdu d'avance.

Ou je ressemblais à un chimpanzé enragé.

Ou j'avais des yeux de Gertrude frite.

Mais le visage sérieux et convaincant du penseur de Rodin sans la position bancale, je n'y arrivais pas.

J'ai avalé une dernière gorgée de Coca pour me donner du courage avant de m'élancer dans les escaliers, de traverser la cour et d'escalader les 39 marches (comme le conseille mon enquêteur favori, je compte toujours les marches) conduisant à l'appartement des djeuns.

PROGRESSION

Avant de sonner, je savais qu'ils étaient là. La musique était si forte que leur porte d'entrée tremblait.

Personne ne m'a entendu.

J'ai sonné deux fois.

Sans succès.

J'étais tellement énervé par cette musique qui menaçait de griller mes tympans que, la troisième fois, j'ai laissé mon doigt appuyé sur la sonnette comme un hystérique. Quelqu'un a fini par éteindre et un grand type affublé de dreadlocks dégoulinantes a ouvert la porte en marmonnant d'une voix molle :

– Ça va, ça va… Cool, man. J'arrive.

Il tenait dans sa main une cigarette à moitié consumée.

– C'est qui ? a hurlé une voix féminine à l'arrière.

– Seulement un gosse, lui a répondu le sosie de Bob Marley version albinos en me balayant de ses yeux vagues et en me lançant une salve cancérigène au visage.

Ça commençait mal.

Premièrement, je déteste que l'on me qualifie de gosse. Surtout si mon interlocuteur a à peine le double de mon âge (physiquement) et clairement la moitié (intellectuellement).

Deuxièmement, les cheveux de ce type me rendaient malade. Ils avaient l'air particulièrement sales et j'imaginais certains poux de la colonie qui s'y était sûrement installée en train de prendre leur élan pour se jeter sur ma tignasse nickel.

J'avais envie de repartir. Ce type n'avait rien pu entendre (musique assourdissante), ni voir (yeux flous), ni sentir (fumée nauséabonde). Bref, cela revenait à demander son chemin à un aveugle.

Et encore. Certains aveugles ont un sens inné de l'orientation.

– Tu veux quoi ? a grogné la fille qui avait surgi derrière lui.

Elle avait un piercing dans le nez par lequel sortait de la fumée. J'étais maintenant sûr que je n'apprendrais rien de ces cheminées vivantes, toutefois comme j'étais là autant me lancer :

– J'ai perdu les clés de chez moi. La voisine qui habite au-dessus de chez vous a un double, mais elle ne répond pas quand je sonne. Sauriez-vous où elle est par hasard ?

À peine avais-je repris ma respiration (en inhalant du même coup une bouffée empoisonnée) que je me suis senti mal. Il était évident que je mentais. J'avais hésité un peu trop longtemps sur le « quand je sonne ». Et pour cause ! Je n'avais pas pensé à sonner chez Elle. Quel idiot !

Non seulement Elle était peut-être là et j'étais en train de me couvrir de ridicule avec mes angoisses débiles, et en plus mon mensonge n'était pas crédible.

Heureusement la fille n'a pas eu l'air de s'en rendre compte car elle m'a répondu d'une voix méprisante :

– Mandel ? Comment veux-tu qu'on sache où elle est ? Elle est aussi silencieuse qu'un macchabée cette nana ! À croire qu'elle n'écoute jamais de musique et qu'elle est montée sur des *shoes* en mousse.

– Ouais, a commenté Coiffure Sale. N'empêche qu'elle est cool cette meuf. Elle s'plaint jamais de la musique comme les bobos névrosés du 4e !

– Et alors ! Je suis sûre que c'est parce qu'elle a peur de nous. Tout ça parce qu'elle te branche, s'est énervée Nez Percé, sa voix grimpant dangereusement dans les hauteurs. Seulement, elle est trop vieille pour toi, mon gars. Et ça m'étonnerait que le genre rasta grunge soit son truc !

– Vos gueules ! a hurlé un troisième larron de l'intérieur.

– Ta gueule toi-même, a répondu miss Piercing avec un don de la repartie presque aussi aigu que sa voix.

– Détends-toi, ma puce. La colère, ça risque de faire rouiller ton piercing, est intervenu Reggae Man.

Ils étaient partis en vrille et m'avaient complètement oublié. J'en ai profité pour m'éclipser en les remerciant vaguement. Arrivé au milieu de l'escalier, j'ai entendu leur porte claquer et la musique reprendre.

Au moins je connaissais son nom maintenant. Mandel. Son prénom commençait donc par un V.

Je n'avais aucune idée de l'heure. J'avais envie de rentrer pour m'asperger de désinfectant et me remettre de mes émotions, mais j'ai repensé à ma voisine qui était peut-être en train de mourir dans sa salle de bains. J'ai décidé d'être téméraire et de monter les escaliers au lieu de les descendre.

J'ai sonné chez mon absente.

Personne n'a répondu.

J'ai repris mon ascension jusqu'au 4e étage.

À peine avais-je posé le doigt sur la sonnette que Mme Vaudrier a ouvert. Elle avait un joli visage, de longs cheveux auburn ramenés en queue de cheval et un ventre énorme !

Passé l'effet de surprise, j'ai compris qu'elle était très très enceinte. Observation/déduction. Sherlock aurait été fier de moi.

– Les cartons sont dans le salon, a-t-elle commencé avant de poser les yeux sur moi. Oh, désolée, j'ai cru que c'étaient les déménageurs. Qu'est-ce que tu fais là, toi ?

– Heu, bonjour madame, ai-je commencé.

– Tu peux m'appeler Béatrice. Et toi, tu t'appelles comment ?

– Benoît.

– Tu habites ici ?

– Oui, immeuble B, 3e étage. J'ai perdu les clés de chez moi. Mademoiselle Mandel a un double, mais elle ne répond pas quand je sonne. Sauriez-vous où elle est par hasard ? ai-je enchaîné d'une traite de peur qu'elle ne me pose des questions pendant des heures et des heures.

– Viviane ? Aucune idée ! Fred et moi avons glissé un mot sous sa porte vendredi soir pour l'inviter à notre pot de départ, elle n'est pas venue. Elle est peut-être partie en vacances. Avant, j'avais un double de ses clés, mais je le lui ai rendu la semaine dernière.

– Vous n'auriez pas son numéro de portable ? me suis-je enquis.

– Viviane n'a pas de portable. Tu ne le savais pas ? s'est-elle étonnée.

– Ben, non. C'est ma mère qui la connaît. Pas moi !

Moi qui, grâce à son numéro de portable, espérais retrouver ma voisine, c'était raté ! Elle appartenait à cette espèce en voie de disparition (c'était le cas de le dire) : celle des *homo sansa portabilus*.

– Tu veux qu'on appelle ta mère ? m'a alors proposé Béatrice.

– Non, non, je préfère ne pas la déranger à son travail. Je vais attendre qu'elle rentre, ai-je esquivé.

– Tu peux rester ici si tu veux. Même si ce n'est pas très accueillant avec les cartons, au moins tu seras au chaud.

Je n'avais pas prévu ce coup-là. Mes voisins étaient censés répondre à mes questions. Point. Pas s'intéresser à moi. Pas essayer de m'aider à résoudre un problème que je n'avais pas. Pas faire ami-ami.

– Merci... Ne vous inquiétez pas, ai-je biaisé en me dirigeant vers les escaliers. Ma mère ne devrait plus tarder.

J'ai feint de ne pas voir l'air un peu méfiant qui avait envahi son visage alors que mon mensonge était en train de s'effriter.

– Bon, ben, bon courage, ai-je conclu.

– Merci ! a-t-elle répondu. On en a besoin avec tous ces cartons.

Elle devait avoir trouvé une ETS (la fameuse Explication Toute Simple) à mon comportement car son visage avait retrouvé son expression confiante.

Je ne parlais pas du déménagement, mais du bébé. Toutefois, j'ai préféré ne pas la contredire. Les gens aiment les bébés. En général. Surtout ceux qui en font, j'imagine. Ils ne réalisent pas que ces petites créatures ultra-bruyantes chopent le moindre microbe qui traîne à une vitesse supersonique et vous le refilent après. En particulier. Je le sais. Je l'ai lu dans un prospectus sur les chiots chez le vétérinaire de Gertrude.

COMPLICATION

Avant d'ouvrir, j'ai sonné à notre porte pour rester crédible. Je me doutais qu'il y avait peu de risques que les djeuns m'entendent de chez eux. Surtout avec la musique. J'ai néanmoins préféré suivre les conseils de mon détective favori et ne pas faire d'exception. L'exception infirme la règle !

Ma mère a ouvert immédiatement.

– Mais où étais-tu donc passé ? s'est-elle écriée. Il est 19h45.

19h45 ! Je n'avais pas réalisé que j'avais mis autant de temps pour réunir deux micro-informations : les prénom et nom de ma voisine, Viviane Mandel.

En tout cas, ma mère si zen d'habitude et qui se moque de mes angoisses médicales et autres avait eu le temps de me rejoindre au pays des flippés.

– Je me suis fait un sang d'encre ! J'ai téléphoné à la directrice du collège et j'étais sur le point d'appeler les hôpitaux.

C'est là que j'ai réalisé que, moi, je n'avais pas pensé à les appeler. Mais qu'est-ce que j'aurais pu leur demander ? « Est-ce que ma voisine d'en face dont je ne connais pas le nom ne serait pas chez vous par hasard ? » Ça aurait été ridicule.

Ridicule et stérile.

Cela dit, maintenant que je connaissais son nom…

Comme je ne lui répondais toujours pas, ma mère s'est énervée de plus belle.

– Tu m'écoutes, Benoît ? Où étais-tu ? Pourquoi n'as-tu pas répondu quand j'ai téléphoné ?

Mon portable !

J'avais pensé à celui (inexistant) de Viviane et oublié le mien. C'était la première fois que ça m'arrivait.

Contrairement à beaucoup de mes camarades qui avaient dû batailler ferme (certains étaient encore en guerre) avec leurs parents pour en avoir un, ma mère m'avait acheté un téléphone portable avant que je ne le lui demande. Elle était archi pour. Ce cordon ombilical sans fil lui permettait de me joindre à chaque instant, donc de se rassurer à peu de frais.

Et vice versa !

C'était beaucoup mieux que de gérer des crises d'angoisse en rentrant du travail. Certes, je redoutais un peu les effets néfastes de ses ondes électromagnétiques sur mon cerveau, mais je ne l'utilisais que dans les cas de force majeure.

– T'as pas vu mon sac à dos dans ma chambre ? ai-je esquivé.

– Non, a-t-elle reconnu d'une voix adoucie. Je n'y ai pas pensé. C'est tellement inhabituel que tu ressortes après tes cours que je n'ai pas eu l'idée de vérifier. Alors où étais-tu ?

Je n'y couperais pas. Il fallait que je trouve une ETS (vous vous rappelez, une Explication Toute Simple) à ma soudaine sortie inopinée.

J'ai lancé la première craque qui me traversait la tête :

– Sur le chemin du retour, je suis allé rendre des livres à la bibli.

– À 19 heures ? Elle était encore ouverte ? s'est étonnée ma mère.

– Heu… ouais. Elle ferme plus tard le mercredi soir, me suis-je enfoncé.

Il fallait que je m'améliore question mensonges car les miens avaient une fâcheuse tendance à manquer de souffle après cent mètres et à haleter dès qu'on entrait dans les détails. Ma mère a eu l'air d'y croire puisqu'elle n'a fait aucun commentaire. Elle m'a serré très fort dans ses bras avant de reprendre :

– J'ai été un peu idiote de m'inquiéter autant, mais ça ne te ressemble pas de sortir sans prévenir. Déjà avec ton bureau hier soir…

Je pensais qu'elle allait développer, qu'elle allait m'interroger sur mon brusque changement de personnalité, qu'elle allait comprendre que c'était bizarre. Les gens ne changent pas du jour au lendemain.

Je me fourvoyais. Elle s'est arrêtée là dans ses réflexions. Cela me dépasse que des bobards aussi énormes filent comme une ordonnance à la pharmacie. C'est à se demander si les gens ne préfèrent pas un mensonge rassurant à une vérité inquiétante. Toutefois, comme ça m'arrangeait, j'ai acquiescé et lui ai proposé :

– Tu veux que je t'aide à préparer le repas ?

Elle a souri. Les choses étaient rentrées dans l'ordre. En surface.

Cette nuit, j'ai fait un cauchemar horrible. Je sonnais chez Viviane. Quand elle ouvrait la porte, son visage était recouvert de piercings et de la fumée sortait par ses oreilles. Soudain, ses cheveux prenaient feu. Au moment où elle se jetait sur moi, le corps en flammes, je me suis réveillé en tremblant. J'ai regardé mon réveil. Il était 5 h 30. J'ai soulevé le store. RAS.

Comme je n'arrivais pas à me rendormir, j'en ai profité pour rédiger ma rédaction.

ATTAQUE

Le début de la matinée s'est déroulé normalement. J'étais toujours aussi inquiet pour Viviane qui n'était pas réapparue ce jeudi matin à 7 heures, j'ai donc décidé de me concentrer sur mon projet « hôpital » pour arrêter de flipper dans le vide.

J'ai profité du cours d'anglais pour noter ce que je devais faire en rentrant : dresser la liste des hôpitaux les plus proches, leur téléphoner et, si j'en avais le temps avant le retour de ma mère, rendre visite au voisin du dessus.

Dès la fin du déjeuner, la fatigue m'a attaqué en traître. Je me suis assoupi en plein cours de SVT, ma matière préférée.

Après avoir bâillé pendant les dix premières minutes, j'ai fini par tomber de sommeil alors que le prof entamait enfin le thème tant attendu (par moi) des maladies cardio-vasculaires.

Mathieu, mon voisin, m'a donné un coup de coude discret pour attirer mon attention avant que le prof ne remarque qu'un de ses élèves les plus assidus était soudain devenu narcoleptique. Mais j'ai levé la tête trop vite et il m'a remarqué. Justement.

– Benoît, Benoît... Tu dormais ?

– Heu... non, non. Je réfléchissais, mons... Gérard.

Notre prof de SVT exige que nous l'appelions par son prénom. C'est le seul et j'ai du mal à m'y habituer. Il doit considérer ça cool et moderne. J'ai beau trouver l'idée sympa, j'éprouve un certain malaise à chaque fois que je prononce son prénom.

– Ah oui, a-t-il répondu d'un ton moqueur. Et on peut savoir à quoi ?

Nouveau challenge. Nouveau mensonge à débusquer. J'avais quinze secondes chrono pour me sortir du piège dans lequel je m'étais une fois encore fourré.

– Aux effets du tabac sur les maladies cardio-vasculaires, ai-je lâché en repensant à mon cauchemar.

– Intéressant, je ne manquerai pas d'aborder ce sujet un peu plus tard, a noté Gérard avant de reprendre son cours là où il s'était arrêté un instant auparavant.

J'étais plutôt content de moi. Je m'améliorais. Bon, c'est vrai que j'avais eu de la chance de m'endormir pendant le cours de SVT plutôt que pendant celui de maths. Parce que les effets du tabac sur les équations, ça aurait été beaucoup plus nocif !

En arrivant à la maison, je me suis jeté sans attendre sur mon ordinateur pour consulter le site des pages jaunes.

J'ai noté le numéro des trois hôpitaux les plus proches. Si Viviane avait eu un accident, elle était peut-être dans l'un d'entre eux.

J'ai saisi mon portable et composé le premier numéro.

C'était plus compliqué que je ne le pensais.

Tout d'abord, j'ai eu droit à une petite mélodie d'attente. Attente oscillant entre dix et vingt minutes selon les hôpitaux. De quoi vous dégoûter à vie de Vivaldi (*Les Quatre Saisons* étant, semble-t-il, la musique anxiolytique par excellence).

Ensuite, j'ai dû appuyer trois fois sur la touche « étoile », deux fois sur la touche « 1 » et une fois sur la touche « 5 » avant d'entendre enfin une voix humaine.

Là aussi les hôpitaux faisaient dans le copier-coller car les trois discussions que j'ai eues ont ressemblé à ça :

Moi (*poli*) – Bonjour. J'appelle pour savoir si Viviane Mandel ne serait pas chez vous par hasard ?

Standard (*mécanique*) – Et vous êtes ?

Moi (*adulte*) – Benoît Vondeau, un de ses voisins. Comme elle n'est pas rentrée chez elle depuis plusieurs jours, je m'inquiétais de savoir si elle n'avait pas eu un accident.

Standard (*efficace*) – Vous avez un lien de parenté avec cette madame Rondelle ?

Moi (*agacé*) – Mandel comme mandoline. Pas Rondelle.

Standard (*perroquet*) – Vous avez un lien de parenté avec cette madame Mandel ?

Moi (*idem*) – Non. Comme je vous le disais, c'est ma voisine.

Standard (*catégorique*) – Nous ne pouvons donner de renseignements qu'aux membres de sa famille.

Moi (*enfantin*) – Mais je ne suis pas certain qu'elle en ait de la famille justement. J'aurais dû vous dire que j'étais son petit frère. Vous ne pouvez pas vérifier. Je suis extrêmement inquiet, j'ai à peine douze ans et vous allez me laisser dans une angoisse pas possible parce que je vous ai dit la vérité. La prochaine fois, je mentirai.

Standard (*hésitant*) – Hum...

Moi (*culpabilisateur*) – Bon, ben, je ne vais pas vous ennuyer plus longtemps. J'espère juste qu'elle n'a pas eu un grave accident et qu'elle n'est pas toute seule à l'hôpital... Si vous la voyez, dites-lui que son voisin qu'elle salue tous les matins par la fenêtre a pris de ses nouvelles.

Standard (*cédant*) – Tu peux m'épeler son nom ?

Moi (*essayant de cacher ma joie*) – Mandel. M.A.N.D.E.L.

Standard (*cherchant*) – Et son prénom ?

Moi (*ravi*) – Viviane. Comme la fée.

Standard (*désolé*) – Non. Je n'ai aucun patient à ce nom.

Moi (*prévoyant*) – Bon, tant pis. Enfin... tant mieux. Et merci beaucoup ! C'était sympa de votre part. C'est quoi votre nom ?

Standard (*rigolant*) – Nathalie.

Moi (*charmeur*) – Merci encore, Nathalie. En plus, vous avez une drôlement jolie voix pour un standard.

Standard (*charmée*) – Merci Benoît. Bonne journée.

Moi (*sans commentaire*) – À vous aussi. Au revoir Nathalie.

Voilà. Après trois discussions dignes d'un raisonnement brumeux à la Gérard Lestrade avec trois standards différents (Nathalie, Coralie et Michel), je savais que Viviane ne se trouvait pas à l'hôpital.

J'étais sur le point de me rassurer quand j'ai pensé que j'avais complètement oublié une éventualité. Et si son accident l'avait rendue amnésique ? Si elle ne se souvenait plus de rien, ni de son nom ni de son prénom ? Elle pouvait avoir été enregistrée en tant que mademoiselle X.

Ça m'a fichu un coup au moral. Quoi que je fasse, je me retrouvais toujours au point de départ.

J'ai posé ma tête entre mes mains et j'ai laissé mon regard flotter dans le bocal de Gertrude. Observer ma poissonne quand j'ai une bouffée de panique, c'est un peu comme s'enduire de Biafine quand on a un coup de soleil. Ça soulage aussitôt.

Cette dernière a dû sentir mon regard perdu effleurer ses écailles car elle s'est réveillée et a collé son petit visage poissonneux contre la vitre. Nous nous regardions dans les yeux quand j'ai cru la voir me lancer un clin d'œil.

Cela m'a redonné de l'énergie. Je devais poursuivre mon plan. De toute façon, c'était ça ou déprimer à mon bureau et multiplier les risques de somatisation.

J'ai enfilé mon blouson, glissé mon portable dans une poche et refermé sans bruit la porte de notre appartement avant de m'élancer dans les escaliers pour rejoindre le 4e.

RÉMISSION

Comme la sonnette de notre voisin du dessus ne fonctionnait pas, j'ai fini par frapper à sa porte.

Quand il a ouvert, j'ai eu du mal à le reconnaître. L'homme qui se tenait face à moi n'avait rien à voir avec le jeune homme propret en costume-cravate que je croisais régulièrement dans les escaliers. Celui-là avait des tennis orange, un tablier jaune citron derrière lequel se dissimulaient un pantalon rouge cerise et une chemise bleu roi. Ses cheveux en pétard étaient recouverts de poudre blanche. Un échappé de l'asile version kaléidoscope !

– Bonjour, a-t-il lancé comme s'il m'attendait. Entre.

Ne sachant quelle attitude adopter et ayant lu qu'il est préférable de faire semblant d'entrer dans les délires des fous, j'ai obéi.

– J'étais en train de préparer des scones aux brocolis, m'a-t-il expliqué. J'ai peur d'avoir un peu forcé sur la farine.

– Aux brocolis? ai-je répété en réalisant que ce type était encore plus gravement atteint que je ne l'avais suspecté.

– Oui. Mon rêve est d'ouvrir un restaurant. Un restaurant spécial. Avec des menus équilibrés. Pas un resto végétarien ou macrobiotique. J'utilise parfois du tofu ou du soja dans mes recettes, mais l'idée n'est pas de me spécialiser dans des plats que personne n'a envie de manger. Juste un resto qui proposerait des plats sains, goûteux et pas trop chers.

– C'est une super idée! me suis-je aussitôt écrié.

Ce type venait de passer dans mon cerveau du statut de maboul de service à celui de génie visionnaire.

– Tu trouves? m'a-t-il demandé, son visage soudain cramoisi rappelant la couleur de son pantalon.

– Oui. Les gens mangent n'importe quoi de nos jours. Ils veulent du vite cuisiné vite réchauffé et achètent des plats bourrés de produits chimiques, de graisses animales, de sel et de sucre, me suis-je emballé. Prenez ma mère. Elle aime les pâtes au ketchup, les pizzas et les hamburgers. Tous les trucs 100 % bouche-artères.

– Et vous avalez ça tous les jours ? s'est-il effrayé.

– Oh non, l'ai-je rassuré en souriant. Je l'ai tellement culpabilisée sur les conséquences gravissimes que cela pouvait avoir sur ma croissance – déjà que je multiplie les risques en mangeant cinq jours par semaine des plats infâmes à la cantine – qu'elle fait des efforts. Mais je suis certain que le midi, quand je ne suis pas là pour la surveiller, c'est sandwich à la mayo industrielle et traiteur chinois spécialité glutamate.

– Tu veux goûter mes scones ? m'a-t-il alors proposé.

Je n'ai pas osé refuser même si des scones aux brocolis, comme goûter tardif, il y avait plus tentant. Un pain au chocolat par exemple !

Il les a sortis du four, a attrapé une théière, a lancé dedans de drôles de tiges noirâtres avant d'y verser de l'eau bouillante. Il m'a expliqué :

– Ils sont encore meilleurs si tu les manges en buvant cette infusion de vanille.

J'ai pris un scone avec hésitation et j'ai mordillé dedans.

– Hum... ai-je constaté. C'est drôlement bon, en plus.

J'ai bu une gorgée de son infusion. Il avait raison, c'était encore meilleur.

– Top! ai-je surenchéri la bouche pleine.

– Merci, a-t-il répondu d'une voix timide. C'est l'idée... Que ce soit bon... Parce que c'est aussi une des raisons pour lesquelles les gens se nourrissent de plus en plus mal. Ils restent persuadés que sain égale immangeable et déprimant.

– Il y a quoi dedans à part des brocolis? me suis-je renseigné en finissant d'engloutir mon scone.

– Du cumin, une cuillerée de moutarde forte et quelques gouttes de vinaigre balsamique.

– Et vous l'appellerez comment, votre restaurant? me suis-je intéressé en prenant un deuxième scone.

– *Chez Étienne*. Tout bêtement. Tu en penses quoi?

– Je ne sais pas trop. Ce n'est pas très original. En plus, on ne comprend pas vraiment que c'est un restaurant diététique. Cela sonne bistrot, genre frites-graillon, ai-je commenté en constatant que c'était drôle qu'Étienne Remoullin/Rémoulade soit cuisinier.

– Hum... Annabella partage ton avis. Il faut que je trouve un autre nom. Je n'ai pas tellement d'idées. Enfin, pour l'instant ce n'est encore qu'un rêve car il faut beaucoup d'argent pour ouvrir un restaurant. J'essaie d'économiser une partie de ce que je gagne, le problème c'est que ça prend du temps.

– C'est quoi votre travail ?

– Je travaille dans une banque. Comme commercial, m'a-t-il répondu en haussant les épaules. C'est pas top, mais la paie est correcte.

– Vous ne pouvez pas emprunter de sous à votre banque ?

– Si, si. Il faut d'abord que je constitue un capital de départ. En attendant, je peaufine mes recettes et je les teste sur mes deux goûteurs officiels enfin... goûteuses.

– Vos goûteuses ?

– Oui. Annabella et Viviane.

Il me tendait la perche parfaite. Plus besoin de bobards. J'avais la possibilité de sauter en souplesse sur le sujet Viviane sans effectuer de grand écart conversationnel. Malheureusement, c'est le moment qu'a mal choisi mon téléphone portable pour sonner.

Je suis toujours un peu gêné quand ça arrive. Non seulement parce que je n'ai pas encore trouvé de sonnerie à la fois discrète, mélodieuse et servant son propos (être entendue), mais aussi parce que je trouve impoli d'interrompre une discussion pour y répondre.

Étienne a souri et m'a fait signe de prendre l'appel. C'était ma mère. Elle m'informait qu'elle serait là dans dix minutes maximum. Il était préférable que je redescende fissa. Le mensonge bibli ne marcherait pas une deuxième fois.

– C'était ma mère, me suis-je senti obligé d'expliquer à Étienne. Je dois rentrer avant qu'elle arrive. Elle croit que je suis à la maison en train de travailler.

– Je comprends, m'a-t-il répondu en me décochant un clin d'œil. J'espère que tu reviendras pour tester mes nouvelles recettes.

– Avec plaisir ! me suis-je exclamé.

Étienne m'a reconduit à la porte. Il fallait que je me lance. Je n'étais pas venu le voir pour goûter mais pour me renseigner sur Viviane et d'ici quelques secondes sa porte se refermerait sur mes questions.

– Heu… ai-je balbutié en réalisant sur le palier que le plan des clefs égarées était fichu depuis le coup de fil de ma mère. À propos… je voulais vous demander si vous aviez des nouvelles de Viviane.

Coup de bol, Étienne n'était pas du genre méfiant.

– Non, a-t-il réfléchi. C'est vrai que cela fait quelques jours qu'elle ne m'a pas rendu visite. Enfin bon, tu sais, les artistes…

– Oui, oui, ai-je acquiescé en prenant un air entendu.

Mais je n'entendais rien. Je n'en connaissais pas des artistes, moi. Enfin, jusqu'à il y a dix secondes, je ne croyais pas en connaître.

Ma belle absente était donc « artiste ». Quel genre d'artiste ? Je n'en avais pas la moindre idée. Peu importait. Je trouvais ça super. De loin.

Parce que si on y réfléchissait :

Peintre = asphyxie à la térébenthine + risque de maladie des poumons.

Musicien = courbatures + risque de surdité.

Sculpteur = entorse + risque de blessures graves.

Danseur = foulure + risque de déformation des pieds.

Écrivain = arthrite + risque de dépression nerveuse liée à l'angoisse de la page blanche…

Moi plus tard, je voudrais être botaniste, comme un type que j'ai croisé dans un polar. Il passait son temps à lire et à se balader en respirant du bon air non pollué. En plus, cela lui permettait de connaître de nombreux remèdes phytothérapiques. Le rêve !

Certains, comme ma mère, m'imagineraient médecin sous prétexte que je suis un spécialiste ès maladies. N'importe quoi ! Non seulement les risques de contagion m'empêcheraient de recevoir le moindre patient mais j'ai la phobie du sang. La vision d'une goutte et je m'évanouis.

Quand ma mère est arrivée, j'étais sagement assis à mon bureau, un cahier devant moi. Elle avait dix minutes de retard et je ne m'en étais même pas aperçu. Elle avait acheté de quoi préparer le repas : des escalopes de veau à la normande accompagnées de... brocolis !

ACCÉLÉRATION

Lorsque je me suis réveillé vendredi, j'étais plus détendu que d'habitude. Sûrement un effet secondaire des brocolis.

J'étais tombé de sommeil la veille au soir et j'avais dormi d'une traite jusqu'au matin. En ouvrant mes volets, je n'ai même pas tiqué en constatant que ceux de Viviane étaient toujours fermés.

En rentrant du collège, l'effet anesthésiant des fleurs vertes s'était complètement volatilisé. J'étais de nouveau angoissé. À cause de la disparition de Viviane, mais aussi de la visite que j'avais prévu de rendre à la sorcière, Mme Fabiani.

J'ai essayé de me persuader que c'était inutile. Elle était si vieille qu'elle était sûrement à moitié sourde et complètement aveugle. Donc ça ne servirait à rien de l'interroger. Donc je n'irais pas. Point à la ligne.

J'ai ouvert mon cahier de maths. Il fallait que je travaille. J'avais pris du retard cette semaine. Je n'avais rien suivi en cours. J'avais bâclé mes devoirs. Si ça continuait, je raterais mon bac (dans cinq ans) et je finirais chômeur (à vie).

Les exercices portaient sur des divisions de fractions.

Premier exercice : $(1/8) \div (7/5)$. Je me concentrais, je me concentrais et c'est là que les chiffres ont entamé un grand pas de deux et se sont mis à voltiger hors de la page. Ils valsaient dans ma tête et je ne savais plus sur quel pied danser.

Je ne voyais plus que :

• 1 = nombre de voisins que je devais encore interroger ;

• 8 = nombre d'appartements des deux immeubles ;

• 7 = heure de mes rendez-vous matinaux avec Viviane ;

• 5 = nombre de jours depuis sa disparition.

Cinq jours! Cinq jours qu'elle avait disparu. Cinq jours qu'elle appelait peut-être à l'aide et moi je préférais fractionner plutôt que de rencontrer Mme Fabiani. Pourquoi? Parce que j'avais la trouille. De quoi? D'une vieille femme qui ressemblait à une sorcière de contes. Lamentable!

J'ai refermé mon cahier. J'ai saisi mes clés et mon portable. Mon avenir attendrait.

En descendant, j'ai croisé un homme avec un grand sac de sport sur l'épaule qui entrait dans l'appart M. J'ai eu un petit moment d'hésitation (m'avait-il entendu claquer la porte de notre appart?) avant de lui demander :

– J'ai perdu les clés de chez moi. Mademoiselle Mandel a un double, mais elle ne répond pas quand je sonne. Sauriez-vous où elle est par hasard?

Le type m'a regardé comme si je parlais chinois avant de m'asséner :

– Sorry. I don't speak french.

Un Anglais. L'horreur! En plus, il était visiblement persuadé que la terre entière parlait et comprenait sa langue. Dans un effort sur-français, je suis parvenu à lui répondre :

– Oh… English?

Il m'a dévisagé bizarrement avant de me corriger :

– No. American.

Voilà qu'il faisait dans les détails. J'avais toujours eu envie d'en savoir plus sur l'appart M. Maintenant que j'avais entamé une (vague) discussion avec un de ses habitants, c'était l'occasion ou jamais. Seulement, il fallait que je retrouve mes mots... d'anglais. Soudain, une phrase a surgi du fin fond de ma mémoire.

– What are you doing here ? lui ai-je demandé en indiquant la porte du menton.

– Play tennis, m'a-t-il répondu en soulevant son sac.

Ou il était particulièrement taciturne ou il jugeait mon niveau d'anglais insuffisant pour comprendre une phrase complète.

– Ah... Sport is good, ai-je continué dans la même veine.

– Yes. And fun, a-t-il enchaîné en souriant.

– Heu... enjoy ! ai-je lâché.

Ça ne servait à rien de continuer. Ce type n'était au courant de rien. Il ne parlait pas un traître mot de français et à peine sa propre langue. À moins que ce ne soit une ruse...

– Thanks. Have a nice day, a-t-il conclu avant d'ouvrir l'appart.

J'ai tenté de jeter un œil par la porte, mais le type me l'a aussitôt refermée au nez. Je n'avais pu apercevoir qu'un banal portemanteau. J'ai tendu l'oreille. Comme aucun bruit ne s'échappait des escaliers, je me suis penché pour regarder par le trou de la serrure. La clé que l'Américain avait insérée de l'autre côté m'empêchait de voir quoi que ce soit.

Il était malin. Si ce n'est que ce stratagème alimentait mes soupçons. Qui était-il ? Pourquoi se trouvait-il ici ? Il avait cherché à me tromper en prétendant jouer au tennis. Personne ne vient de si loin pour faire du sport. Son explication ne tenait pas le court. Elle n'avait pour but que de justifier la présence de son sac.

Que transportait-il dedans ? Une arme ?

Dans de nombreux polars, le criminel la cache à l'intérieur d'un objet incongru. J'en avais croisé un qui la dissimulait dans une canne, un autre dans un étui à guitare et un troisième dans… une Bible ! Pourquoi pas dans un sac de sport ?

Sherlock Holmes n'affirme-t-il pas que ce sont les choses les plus simples qui ont le plus de chances de passer inaperçues ?

J'ai repris ma descente en regrettant de ne pas avoir mieux observé ses genoux. Mon détective favori avait un jour expliqué au docteur Watson que son premier regard, s'il s'agissait d'une femme, était pour ses manches et, s'il s'agissait d'un homme, pour les genoux de son pantalon.

L'étrange locataire de l'appart M. m'avait pris au dépourvu.

15/0.

Partie remise !

AGGRAVATION

Arrivé devant l'appartement de Mme Fabiani, j'ai sonné doucement. J'ai entendu un bruit de pas, puis plus rien. J'ai compris qu'elle m'observait par le judas. J'ai fixé le petit trou rebondi en souriant d'un air niais. Après quelques secondes, j'ai entendu le bruit de un... deux... trois... quatre verrous.

Son visage est apparu par l'entrebâillement. La porte était protégée par une chaînette. Quand je pense que ma mère me traite parfois de parano. À côté de la sorcière, j'étais limite pro-cambriolage.

– Qu'est-ce que tu veux? m'a-t-elle demandé avec brutalité.

– J'ai perdu les clés de chez moi. Mademoiselle Mandel a un double, mais elle ne répond pas quand je sonne. Sauriez-vous où elle est par hasard ?

Elle a réfléchi quelques instants avant de refermer la porte et de l'ouvrir à nouveau. Entièrement.

– Entre, m'a-t-elle ordonné d'un ton qui ne laissait pas de place à la discussion.

J'ai senti mon cœur tambouriner dans ma poitrine. Il était trop tard, j'avais pénétré dans son antre. Ça sentait bizarre. Des petits cônes brûlaient dans tous les coins. Un vieux fauteuil râpé trônait devant l'unique fenêtre. Une table basse recouverte de livres et un canapé aussi antiques que leur propriétaire lui faisaient face. Quelques tableaux parsemaient les murs décrépits. Mme Fabiani était comme toujours entièrement vêtue de noir.

– Alors comme ça, tu as perdu tes clés ? a-t-elle repris en me regardant droit dans les yeux par-dessus ses lunettes en forme de demi-lunes.

– Oui. Je les ai peut-être oubliées chez moi ce matin et ma mère ne rentre pas avant 19 h 25.

– Et mademoiselle Mandel a un double ? a-t-elle continué.

– Oui.

– Et tu ne sais pas où elle est ?

– Non.

C'était quoi cet interrogatoire ? J'avais une envie pressante de m'enfuir. Si je me précipitais vers la porte en courant, elle n'arriverait pas à me rattraper. Elle était trop vieille. Mais elle a vu mon regard se diriger vers la sortie et m'a lancé :

– Tu peux partir si tu veux. Je n'aime pas les petits menteurs.

J'étais tellement furieux qu'elle me traite de menteur (même si c'était vrai) que je n'ai pas pu m'empêcher de clamer d'un ton offusqué :

– Je ne mens pas !

Elle a posé ses lunettes sur l'accoudoir de son fauteuil. Elle avait des yeux verts aussi rusés et perçants que ceux d'un chat. Elle me regardait sans parler, comme si j'étais une Gertrude. Il m'a semblé la voir se lécher les babines. J'ai senti une goutte de sueur descendre le long de mon dos. Un petit rictus narquois à la professeur Moriarty, l'ennemi mortel de Sherlock, s'est peint sur ses lèvres. Comme mon héros, je m'étais jeté dans ses griffes. J'étais foutu !

– Tu me prends pour une imbécile, a-t-elle fini par s'écrier. Tu crois que je suis sourde et aveugle ! Je sais que tu n'as pas perdu tes clés. Tu es rentré ce soir comme tous les soirs à 18 heures. Je t'ai entendu monter les escaliers. Qu'as-tu fait pendant une demi-heure ? Tu as contemplé ta porte ?

– ...

– Bien sûr que non, a-t-elle poursuivi. Tu es revenu chez toi. Et puis comme tu t'ennuyais et que tu n'avais pas envie de travailler, tu as décidé de me jouer un mauvais tour. Je sais pertinemment que tu n'es pas allé chez Viviane. Je t'aurais vu.

J'étais fait. Comme un rat. Cette femme savait. Au point où j'en étais, je n'avais plus qu'une solution : lui avouer la vérité.

– C'est vrai, je vous ai menti, ai-je reconnu. Je suis inquiet parce que Viviane a disparu depuis plusieurs jours. J'ai décidé d'interroger nos voisins, mais comme je ne les connais pas, j'ai préféré inventer une excuse plausible pour me renseigner sur elle.

– Bof, a-t-elle commenté en haussant les sourcils.

– Quoi bof ? ai-je répété, étonné qu'elle utilise ce genre de vocabulaire.

À son âge !

– Ton excuse. La perte de tes clés. Ce n'est pas très subtil.

– C'est ce que j'ai trouvé de mieux, me suis-je vexé.

– Tu n'as pas dû te creuser la tête bien longtemps.

– Parce que vous en avez une meilleure, vous, d'excuse ?

– Oh, mais moi, je n'en ai pas besoin. Je ne passe pas mes journées à espionner mes voisins, a-t-elle ricané.

– Je n'espionne pas mes voisins. J'enquête. Nuance. Je cherche à savoir pourquoi mademoiselle Mandel a disparu.

– Comme le sais-tu ?

– Quoi ?

– Qu'elle a disparu, a-t-elle précisé.

– Parce que… ai-je commencé.

– … elle n'ouvre plus ses volets à 7 heures du matin en même temps que toi, a-t-elle fini à ma place.

Je devais avoir l'air complètement ahuri car elle a enchaîné :

– Ne t'inquiète pas, je ne lis pas dans les pensées. J'aimerais bien, remarque. Ce serait pratique. Simplement je dors moins qu'avant. Je passe une grande partie de mes nuits à lire dans ce fauteuil et je vois tout depuis ma fenêtre. Et puis Viviane m'a parlé de toi.

– Vous… vous la connaissez ? me suis-je étonné.

– Oui. Comme j'ai du mal à me déplacer à cause de mon arthrose et tout ça, Viviane m'aide parfois pour mes courses. C'est vrai que c'est bizarre qu'elle n'ait pas ouvert ses volets depuis une semaine. Tu as appris quelque chose ?

– Non, rien, lui ai-je répondu en espérant que le « et tout ça » n'était pas contagieux.

– Tu as demandé à Étienne ? a-t-elle insisté.

– Oui, oui. Enfin, j'ai essayé… ai-je marmonné, toujours perturbé par le « et tout ça ».

– Je vois, a-t-elle commenté.

– Quoi ? me suis-je agacé, ce qui m'a permis d'oublier cette histoire de contagion.

– Tu n'as rien osé lui expliquer. Tu lui as menti comme à moi, mais Étienne devait être en pleine concentration culinaire et il ne s'en est pas rendu compte. C'est du Étienne tout craché.

– Vous le connaissez ?

– Je suis une de ses goûteuses.

– Vous, vous êtes… Annabella, ai-je soudain réalisé.

– Pour les intimes. Pour toi, je suis madame Fabiani, m'a-t-elle rabroué. Que comptes-tu faire maintenant ?

– Je ne sais pas trop. Je suis à court d'idées.

– Hum… Si au moins j'avais un double de ses clés. Mais j'ai refusé quand elle me l'a proposé. À quoi cela aurait-il servi ? Je n'arrive plus à monter les escaliers. Alors jusqu'au 3e ! Enfin… Je ne vois pas comment je pourrais t'aider. Tu as pensé à téléphoner aux hôpitaux ?

– Oui. Pas de traces d'une mademoiselle Mandel, l'ai-je informée.

– Remarque, si elle souffre d'amnésie… a-t-elle réfléchi à voix haute.

– Elle n'aurait pas pu donner son nom, ai-je développé, et serait inscrite sous le nom de…

– Mademoiselle X, a complété Mme Fabiani.

– Exactement, ai-je approuvé en souriant.

Cette vieille sorcière commençait à me plaire.

– Enfin… je raconte n'importe quoi, a-t-elle gloussé. Je lis beaucoup trop de romans policiers. Ça me donne de drôles d'idées.

Pour une fois que je rencontrais quelqu'un qui lisait des polars, je n'ai pas pu m'empêcher de dévier de la disparition de Viviane pour affirmer :

– Moi aussi.

– Toi aussi quoi ? m'a-t-elle demandé surprise.

– Moi aussi, j'adore les polars.

Ses yeux verts ont scintillé étrangement.

– Tu as lu *Préméditation* de Francis Iles ? m'a-t-elle testé.

– Oui, génial ! Du coup, j'ai emprunté *Complicité*.

J'allais enchaîner sur mon cher Sherlock et ses *Mémoires* quand la sonnerie de mon portable a retenti.

– C'est… ai-je balbutié.

– … ta mère qui te prévient qu'elle rentre bientôt, a-t-elle achevé.

Je n'ai pas relevé. Je n'étais même plus étonné. Cette femme ne ressemblait pas à une sorcière. Encore moins au professeur Moriarty. Elle était le portrait craché de miss Marple, la petite vieille qui découvre toujours l'identité de l'assassin dans les romans d'Agatha Christie. Parce qu'elle passe son temps à discuter avec ses voisins et à les espionner !

– Il faut que je rentre, lui ai-je expliqué.

– Et moi, il faut que je prépare mon dîner. Étienne m'a déposé des scones aux brocolis ce matin. Je vais les réchauffer.

– Vous verrez, ils sont succulents.

– Je m'en doute. Il est doué ce petit, a-t-elle déclaré dans un sourire.

C'était la première fois qu'elle me souriait. Elle avait de belles dents pour une personne du quatrième âge, blanches et bien alignées. Peut-être avait-elle un dentier...

– Passe me voir si tu apprends quelque chose, m'a-t-elle demandé en me raccompagnant sur le pas de la porte. Cela m'inquiète que Viviane ait disparu sans que personne ne soit au courant. Un accident est si vite arrivé...

Voilà, j'avais trouvé mon alter ego, quelqu'un qui pensait comme moi, qui lisait des polars comme moi, qui s'inquiétait comme moi.

Seulement il s'agissait d'une ancêtre d'au moins quatre-vingts ans. Un peu flippant quand même !

– Ne vous inquiétez pas, lui ai-je promis. Au fait, pourquoi vous avez accroché ces drôles de statuettes sur votre porte ?

– Un truc de sorcière parano, a-t-elle rigolé en refermant sa porte et ses quarante verrous sur mon indiscrétion.

EXACERBATION

Hier soir, je m'étais senti mieux quand j'avais vu que Mme Fabiani était aussi inquiète que moi. C'était un peu idiot parce que cela n'aurait pas dû me remonter le moral. Ne plus être le seul à avoir les jetons ne changeait strictement rien. Au contraire. Ça laissait plutôt supposer qu'il y avait de quoi s'alarmer. Mais bon, allez savoir pourquoi, j'avais été soulagé.

Malheureusement, le répit a été de courte durée. Comme souvent depuis le début de cette histoire.

Ce samedi matin, la boule d'angoisse est revenue faire des acrobaties dans ma gorge. Viviane n'avait toujours pas ouvert ses volets.

Certes, elle les ouvre parfois très tard le week-end et je ne m'en rends pas toujours compte. Mais là, j'étais sur le qui-vive. Si elle avait seulement soulevé le battant, je l'aurais su dans la seconde.

Une semaine que Viviane avait disparu et je n'avais rien. Aucun indice, aucune piste, aucun témoin. Si encore j'avais su jouer du violon comme Sherlock, j'aurais pu me détendre en interprétant un morceau et être soudain traversé par une idée fulgurante.

Sentant l'angoisse monter à une vitesse vertigineuse, j'ai regardé Gertrude pour m'apaiser. Pour la première fois, ça n'a pas marché. Gertrude avait l'air encore plus paniquée que moi. Elle tournait comme une furie dans son bocal, les écailles décollées et les nageoires survoltées.

J'ai cherché à comprendre ce qui l'effrayait à ce point et c'est là que je l'ai vu. Ses yeux verts semblables à ceux de Mme Fabiani fixaient Gertrude depuis ma fenêtre. Il était assis sur la balustrade et se léchait la patte avant droite. Patiemment. Il attendait sans doute que j'ouvre pour lui offrir Gertrude en cadeau de bienvenue. Une fureur incontrôlable m'a submergé.

Je me suis précipité vers la fenêtre et j'ai tapé tel un fou sur le carreau. Il m'a regardé d'un air condescendant comme si j'étais une souris insolente avant de s'étirer, de sauter sur le mur de la cour et de glisser jusqu'à la fenêtre du 4ᵉ A.

Celle-ci s'est ouverte aussitôt. Un garçon de mon âge s'est penché pour prendre le rouquin dans ses bras. Il m'a presque semblé le voir me lancer un regard réprobateur, mais je me faisais sûrement des films. Les Vaudrier étaient partis. Pas la peine d'interroger ces remplaçants poissonicides, ils ne sauraient rien.

Ce chat m'avait mis les nerfs en pelote. Pour me changer les idées, j'ai décidé d'aller à la bibliothèque. D'habitude, je m'y rends le samedi après-midi, aujourd'hui tant pis ce serait le matin. J'ai vérifié que Gertrude s'était calmée. Quand je suis sorti de ma chambre, elle s'était rendormie, les nageoires repliées sur ses yeux. Gertrude a l'angoisse fugitive.

Alors que je me dirigeais vers la porte, ma mère est sortie de la cuisine. Elle était toujours en pyjama.

– Où pars-tu comme ça ? m'a-t-elle demandé.
– À la bibli.
– Encore ! s'est-elle étonnée.

– Comment ça encore ? Je n'y suis pas allé depuis... ai-je commencé.

J'ai failli répondre « la semaine dernière » quand je me suis souvenu que j'étais censé m'y être rendu mercredi soir. Je me suis rattrapé au dernier moment et j'ai bafouillé un pathétique :

– ... depuis mercredi.

– Tout va bien en ce moment, Benoît ? a hésité ma mère.

Ça y est ! Elle s'était aperçue que je lui mentais. Elle allait me poser des questions auxquelles je n'avais aucune envie de répondre. Des questions auxquelles je n'avais pas de réponses.

– Oui, oui, j'ai seulement un peu la tête ailleurs, me suis-je justifié.

– Moi aussi, a-t-elle conclu en étouffant un bâillement.

Démentiel ! Ma mère était la zenitude faite femme. Je pouvais lui raconter n'importe quoi, elle le gobait. Cela devenait inquiétant.

Quand j'ai ouvert, j'ai entendu des voix. J'ai tendu l'oreille. Une conversation se déroulait sur le palier de l'étage d'en dessous. J'ai refermé doucement notre porte et je me suis assis en haut des marches. De là, je pouvais écouter sans risquer d'être repéré.

– Que pensez-vous de cet appartement ? Il est idéal, non ? a demandé une voix de femme.

– Oui, oui, a acquiescé une autre voix.

Si celle de la femme était aiguë, ce qui laissait supposer qu'elle devait être jeune et mince, l'autre était au contraire masculine, rauque et parsemée de raclements de gorge. J'ai rassemblé l'extrémité de mes dix doigts pour réfléchir. Elle appartenait donc à un homme assez âgé. Un fumeur sûrement. J'ai posé mes livres à côté de moi et ramené mes genoux sous mon nez pour me concentrer sur leur discussion.

– Et puis le loyer n'est pas élevé, a continué la femme.

– Quand même, 240 euros par semaine, c'est cher, a objecté l'homme.

– Pas pour la location d'un appartement aussi bien situé, l'a-t-elle contredit. Il est à proximité des commerçants, du métro, de nombreux musées, cafés et restaurants... L'idéal pour visiter la ville en famille. Tout est compris : l'électricité, le chauffage...

– Hum... a hésité l'étranger.

– Enfin, c'est vous qui voyez...

– Bon, je le prends. Enfin, ils le prennent, a-t-il cédé.

– Parfait ! Vous m'avez bien dit deux semaines ?

– Tout à fait.

– Et quand vos amis arrivent-ils ? a commencé la femme.

– Le 17 juillet, lui a répondu son interlocuteur après s'être raclé la gorge pour la centième fois.

– Nous disons donc du samedi 17 au samedi 31. Ils pourront venir chercher les clés à l'agence dans la matinée. Nous ouvrons à 8 heures. Le jour du départ, il leur suffira de les déposer dans la boîte aux lettres du hall. Celle sans étiquette. Mais ne vous inquiétez pas, nous leur ferons parvenir un courrier à l'adresse que vous m'avez indiquée avec tous les renseignements nécessaires.

– Parfait.

– Bon, si vous voulez bien signer ces documents, lui a-t-elle demandé. Ici et ici... Merci... Ah oui, une dernière chose, je conseille toujours aux clients d'insérer les clés dans la serrure dès qu'ils rentrent. Ils évitent ainsi de les oublier en sortant et cela complique le travail d'éventuels cambrioleurs. Encore que je travaille ici depuis plus de vingt ans et il n'est jamais rien arrivé. C'est une rue très sûre.

– Je n'en doute pas. Eh bien, je vous remercie, madame Lachaise, a conclu l'homme invisible.

– C'est moi qui vous remercie, monsieur Baudet. Je suis certaine que vos amis seront ravis... Une chance que Mycroft Wilson, le célèbre joueur de tennis, soit parti disputer son match. (J'ai sursauté en apprenant que l'actuel locataire se prénommait comme le frère aîné de mon détective préféré !) Cela nous a permis de visiter l'appartement sans le déranger, a-t-elle poursuivi en s'éloignant.

Rester là à m'ankyloser ne servait plus à rien. Ma mère avait raison. L'appart M. n'avait rien de mystérieux. Son actuel habitant non plus.

J'étais à la fois déçu et soulagé.

En traversant la cour, j'ai croisé un homme jeune qui parlait avec une grand-mère ronde et joviale. J'avais eu raison sur un point. Il fumait.

Certes, j'avais des progrès à faire question déduction. Mais comme l'affirme Sherlock, cette science s'acquiert au prix de longues et patientes études.

J'avais encore le temps…

INTERMITTENCE

Quand je suis arrivé dans le hall, il était là. Devant les boîtes aux lettres. Le nouveau type du 4e A avec son affreux félin dans les bras. Il a récupéré son courrier avant de se tourner vers moi. À cet instant, j'ai réalisé que le type en question était en réalité… une fille. Une fille de mon âge avec des cheveux courts. Un garçon manqué habillé d'une salopette en jean, d'un tee-shirt blanc et de baskets agonisantes.

J'ai sursauté et lâché mes livres. Elle a éclaté de rire.

– C'est malin! À cause de toi, mes bouquins sont tombés. Je dois les rendre à la bibliothèque « en bon état », me suis-je exclamé en appuyant sur les guillemets. S'ils sont cornés ou abîmés, je devrai payer une amende. Enfin, tu devras payer une amende parce que c'est ta faute.

– Dans tes rêves ! Je n'y suis pour rien, moi ! a-t-elle protesté d'un ton scandalisé. C'est toi qui déboules ici comme un malade et qui sursautes pour un rien.

– En plus, il est interdit de se balader dans l'immeuble avec son chat, ai-je inventé pour me venger.

– Depuis quand ? a-t-elle répliqué en serrant son stupide matou contre elle au cas où un policier débarquerait d'une seconde à l'autre pour lui arracher l'animal des bras et le jeter en prison.

– Depuis cinq ans, ai-je affirmé, ravi de constater qu'elle marchait. Certaines personnes y sont allergiques, les proprios ont donc décidé de limiter leur libre circulation.

Elle m'a regardé droit dans les yeux. Je m'étais trompé. Elle ne croyait pas un mot de ce que je lui racontais. Depuis le début. C'était évident. Je n'ai donc pas été surpris quand elle m'a envoyé :

– Eh bien, moi, je suis allergique aux abrutis.

Pas la peine d'être premier de classe pour comprendre que l'abruti en question, c'était moi. Ne sachant plus quoi rétorquer, je me suis précipité pour ramasser mes livres et je suis sorti en laissant la porte de l'immeuble claquer derrière moi. À défaut d'avoir le dernier mot, j'avais au moins eu le dernier son. Et toc.

En chemin, je me suis un peu calmé. Cette fille et sa bête à poils allergisants pouvaient dire et faire ce qu'elles voulaient. Ça m'était complètement égal.

Quand j'ai tendu mes livres à la bibliothécaire, ma colère a refait surface. Il en manquait un ! Dans ma précipitation, j'avais dû l'oublier par terre dans le hall. Je me suis donc contenté de trois nouveaux livres et d'un rappel à l'ordre : rapporter « sans faute » l'oublié la semaine prochaine. Si je le retrouvais... Parce que quand je suis revenu, il avait disparu. J'ai fouillé du regard le sol de l'entrée, aucune trace. Dans la cour, pas une tache d'encre. Dans les escaliers, pas l'ombre d'une page. À la maison, idem.

Mon livre s'était volatilisé. Comme Viviane. À moins... à moins que cette fille ne me l'ait volé pour se venger. Oui, c'était l'explication la plus logique. Elle avait trouvé mon livre après mon départ et l'avait pris pour m'embêter. Et c'était moi qui étais censé être un abruti !

J'ai jeté un œil à mon portable. Il était déjà 12 h 25. D'habitude, le samedi matin, j'aide ma mère à faire les courses et à préparer le repas. D'habitude…

Pendant le déjeuner, j'étais tellement concentré sur mes théories à propos du livre, de Viviane, de la fille… que je ne pipais pas. Comme je suis du genre bavard, ma mère a fini par s'inquiéter. Enfin !

– Tu es bizarre, Benoît, en ce moment. Tu n'as pas de soucis à l'école ?

– Non, non.

– C'est sûr ? Enfin… je veux dire… je sais que tu as toujours d'excellentes notes, mais tout va bien avec tes camarades ?

– Oui, maman. Ne t'inquiète pas.

– Tu ne serais pas en train de couver quelque chose ?

Là, elle touchait un point sensible. Certes si je n'étais pas très en forme en ce moment, c'était plus psychologique que physique. Le doute, et mon anxiété naturelle, ont grignoté leur chemin et j'ai diagnostiqué à voix haute :

– Peut-être. J'ai un peu mal à la tête depuis quelque temps.

Et là j'ai commencé à avoir vraiment mal à la tête. Du coup, j'ai oublié mes autres problèmes pour me concentrer sur ma migraine naissante.

Ma mère, elle, a paru rassurée. Elle m'a conseillé d'avaler une aspirine. Aussitôt suggéré, aussitôt absorbée. Ce qu'il y a de pratique avec ma mère, c'est qu'elle a la prescription réaliste.

Moi, j'avais eu le temps d'envisager un scanner.

CRISE

À peine avais-je sauté dans mes devoirs que la sonnette de la porte d'entrée a retenti.

– J'y vais, a hurlé ma mère.

Pensant qu'elle attendait un paquet ou un visiteur, je me suis replongé dans l'empire carolingien.

– Benoît est dans sa chambre. Je t'y conduis, ai-je entendu ma mère annoncer.

– Merci, madame, a répondu une voix de fille.

Pendant quelques secondes, j'ai espéré que la voix en question appartenait à Viviane. Mais non, c'était la fille au chat. Elle avait appris que je la cherchais partout et était venue me saluer en personne.

– Bon, je vous laisse, a lâché ma mère avec un petit sourire, le genre de petit sourire agaçant qui signifie « oh, oh, je comprends mieux maintenant pourquoi tu es si bizarre depuis une semaine ».

Ma mère est comme ça. Férocement optimiste. Elle croit encore aux contes de fées et aux histoires d'amour.

– Je te rapporte ton livre, m'a expliqué la fille en me tendant *Le Mystère de la chambre jaune* de Gaston Leroux. Dans ta précipitation, tu l'as oublié par terre ce matin. J'ai eu peur que quelqu'un te le pique, du coup je l'ai ramassé.

– Comment savais-tu où j'habitais ? l'ai-je interrogée, méfiant.

– Eh ben, c'est pas très dur à deviner dans la mesure où j'ai une vue directe sur ta chambre depuis la mienne, a-t-elle rigolé.

Sur ces mots, l'espionne s'est assise sur mon lit. J'avais espéré qu'elle repartirait sitôt le livre rendu. J'avais tout faux. Elle s'incrustait.

J'ai recommencé, comme si de rien n'était, à baptiser Clovis. Elle ne partait toujours pas et moi, j'avais un mal fou à me concentrer. J'ai fini par jeter un coup d'œil discret dans sa direction pour voir ce qu'elle traficotait. Elle scrutait ma chambre. Soudain, elle s'est levée et a commencé à farfouiller dans mes affaires.

Elle a tripoté le thermomètre sur ma table de nuit. Elle a feuilleté mon dictionnaire médical de poche (ma bible). Quand elle a inspecté les livres de ma bibliothèque, j'ai craqué.

– Tu fais quoi, là ? lui ai-je demandé d'un ton sec.

– J'étudie, m'a-t-elle répondu, évasive.

– Tu étudies ? ai-je répété d'une voix moqueuse.

– Oui. J'étais curieuse de voir à quoi ressemblait ta chambre. De là-haut, je ne distingue pas tout, m'a-t-elle expliqué sans gêne.

– Combien de temps comptes-tu rester ici à... étudier ma chambre ? ai-je insisté.

– Je n'ai encore rien décidé, m'a-t-elle informé.

Sur ce, elle s'est approchée de mon bureau d'un pas rapide, réduisant dangereusement mon périmètre de sécurité.

J'avais établi ce périmètre il y a quelques mois. Le but est d'éviter que quiconque (hormis ma mère et Gertrude) ne s'approche de moi à moins d'une distance de sécurité fixée (après de nombreux calculs) à un mètre. Cela me protège : des éclaboussures microbiennes (éternuements, toux), des risques de collision involontaire (trébuchement, glissade incontrô-lée sur rollers) voire des tentatives de « pick-pocketage » sournois.

Je me suis reculé en soupirant pour que la fille comprenne qu'elle me dérangeait. Effet zéro. Ou elle ne comprenait rien ou elle s'en moquait, car elle en a profité pour se pencher sur mon bureau et tapoter le bocal de Gertrude.

– Il s'appelle comment ? m'a-t-elle demandé.

– Elle, pas il. Elle s'appelle Gertrude, lui ai-je répondu en appuyant sur le « Elle ».

– Gertrude ? Comment tu sais que c'est une fille ?

LA question ! C'est LA question qu'on me pose toujours à propos de Gertrude. Sous prétexte que personne n'a jamais pensé qu'il existe aussi des poissons rouges femelles (ce qui laisse supposer qu'un grand nombre de personnes n'ont toujours pas compris comment on fabrique les bébés), j'ai droit à LA question. La surprise des trois premières fois passée, ça lasse.

– Parce que les femelles n'ont pas de boutons de noces, c'est-à-dire de petits points blancs sur les bords de leurs nageoires pectorales, lui ai-je balancé d'une traite. C'est bon ? Tu es contente ? Tu as vu ce que tu voulais voir ?

– Presque...

– Tu n'as pas de devoirs à préparer pour la semaine prochaine ?

Je commençais à ressembler à un parent. Cette question, ma mère me la posait quand j'étais petit et qu'elle trouvait que je l'embêtais avec les miennes de questions.

– Non. Mon père et moi venons d'emménager. J'ai quitté mon ancien collège en cours d'année et je ne découvrirai le nouveau que lundi. Donc pour l'instant, je n'ai pas grand-chose à faire.

– À part visiter la chambre de tes voisins, ai-je grommelé.

– Exact, a-t-elle admis.

Cette fille était infernale. Rien ne la démontait. Je pouvais continuer pendant des heures avec mes sous-entendus narquois, multiplier les allusions répulsives, elle s'en fichait. Elle avait décidé de rester.

J'étais si absorbé par la recherche d'une idée pour la contraindre à dégager de mon territoire que je ne me suis aperçu qu'avec un temps de retard qu'elle avait saisi ma liste. La liste d'hypothèses concernant la disparition de Viviane !

Elle a commencé à la lire à haute voix :

– Glissé dans sa salle de bains, séquestrée par des cambrioleurs…

– Donne-moi ça ! me suis-je écrié en essayant de lui arracher la feuille des mains.

– Écrasée par un chauffard... C'est quoi ce truc ? m'a-t-elle demandé en esquivant mon geste et en se déplaçant pour mettre la feuille hors de ma portée.

– Une liste, ai-je grogné.

– Ça, j'avais compris, merci. Une liste de quoi ?

– Rends-la-moi ! ai-je fulminé.

– Touchée par une balle perdue... C'est du délire ton truc. Tu cherches une idée pour tuer quelqu'un ou quoi ?

Elle m'a pris par surprise, alors j'ai saisi son idée au bond.

– Voilà, tu as tout compris.

– Allez, explique-moi, a-t-elle insisté en secouant la liste devant mes yeux.

– Ça ne te regarde pas !

– Sans doute, mais j'ai envie de savoir, m'a-t-elle répondu en me rendant enfin ma liste que je me suis dépêché de ranger.

– Désolé... On n'a pas toujours ce qu'on veut dans la vie.

Cette fille me rendait fou. La preuve, pour la deuxième fois depuis son arrivée, je plagiais ma mère. Elle m'assénait toujours cette phrase quand j'étais enfant et que je faisais un caprice. Je devais me surveiller... J'étais en pleine crise de parentitude aiguë.

– Si tu ne m'expliques pas, je reste ici! m'a-t-elle menacé en croisant les bras sur sa poitrine d'un air têtu.

– Comme tu veux…

Je me suis replongé dans mon cours. Elle s'est assise sur mon lit. Au bout de quelques instants, elle a commencé à chanter. Faux.

Première chanson. J'ai tenu.

Deuxième chanson. J'ai soupiré. Fort.

Troisième chanson. J'ai tapé du pied.

Début de la quatrième chanson. J'ai craqué :

– Bon, je te raconte et après tu pars.

– Juré craché, a-t-elle affirmé en joignant le délire à la parole et en aspergeant de ses microbes ma moquette 100 % anti-bactériens.

Une folle à lier! Il fallait que je m'en débarrasse au plus vite. Seulement une promesse étant une promesse, je lui ai raconté les rendez-vous avec Viviane.

Sa disparition.

La liste.

Mon enquête.

Les voisins.

CONTAGION

Au départ, je comptais ne lui relater que le minimum, mais une fois lancé je me suis rendu compte que cela m'apaisait de parler.

Elle ne faisait aucun commentaire. Elle ne rigolait pas. Elle ne se moquait pas de moi. Elle m'écoutait.

Quand j'ai eu fini, elle a laissé passer quelques secondes avant d'affirmer :

– La seule solution, c'est d'entrer chez elle.

Bon, c'était clair, cette fille était débile profonde. Je venais de lui expliquer par A + B que mon évanouie ne répondait pas quand on sonnait chez elle et que personne n'avait de double de ses clés. Elle n'avait rien compris.

Elle a dû suivre le cours de mes pensées, car quand elle a vu mon air désespéré elle s'est écriée :

– Ne me prends pas pour une idiote ! J'ai parfaitement compris que personne n'a ses clés et qu'elle ne peut pas ouvrir si elle est blessée ou inconsciente. Il faut qu'on s'introduise chez elle.

– On ? ai-je sursauté.

– Ben, oui. Je n'ai rien à faire et comme tu sembles avoir besoin d'aide, j'ai pensé...

– Hors de question, l'ai-je interrompue d'un ton catégorique. Tu ne connais même pas Viviane. En plus, je ne veux pas de ton aide !

– Bon, si tu n'as pas besoin de moi...

J'hésitais. Je mourais d'envie qu'elle parte. D'un autre côté, elle semblait connaître un moyen de pénétrer chez Viviane.

– OK. C'est bon. Alors comment peut-on s'introduire chez elle ? ai-je cédé.

– On ? a-t-elle insisté.

– Oui, oui, c'est bon. On, ai-je grogné.

– Eh bien, dans pas mal de films, ils utilisent une carte bleue. Ils la font glisser près de la serrure et la porte s'ouvre, m'a-t-elle expliqué en me mimant la scène.

– Et ça marche ? me suis-je étonné.

– Dans les films, oui, m'a-t-elle affirmé.

– Ouais, mais dans la vie ? ai-je insisté.

– Je n'en sais rien. Je n'ai jamais essayé, a-t-elle reconnu.

– Hum... à tous les coups ça ne marche pas, ai-je observé. En plus, si quelqu'un nous surprend, il nous prendra pour des voleurs, appellera les flics et on finira en prison.

– Eh ben avec toi, c'est la tempête de boulettes géantes tous les jours. T'as la trouille ou quoi ?

– Non ! C'est juste que je trouve ça nul comme idée !

– Bon, ben tant pis alors... Je te laisse à tes devoirs... et à ta liste.

Elle m'a tourné le dos et s'est dirigée vers la porte de ma chambre.

– Attends. Où va-t-on récupérer une carte bleue ? ai-je craqué.

Elle s'est arrêtée et a fait volte-face. Elle souriait. Elle savait. Depuis qu'elle avait lancé son filet cinématographique, elle savait que tôt ou tard je me jetterais dedans à pieds joints.

– Je pensais que tu pourrais emprunter celle de ta mère, a-t-elle suggéré.

– Ma mère n'a pas de carte bleue, ai-je menti.

– Pas de carte bleue ? Tu rigoles ? Pourquoi ?

– C'est une longue histoire... ai-je éludé.

L'histoire en question a débuté le jour où j'ai lu un livre où les méchants connaissaient tous les faits et gestes du détective grâce à sa carte bleue. J'avais alors réalisé qu'on était perpétuellement surveillés grâce à ce petit machin en plastique et j'avais flippé. Du coup, j'avais bataillé pour que ma mère rende la sienne. Elle avait refusé. J'avais boudé pendant des jours avant d'abandonner. Ma mère avait donc toujours sa carte bleue, mais à l'idée de la lui réclamer et d'essuyer des moqueries sur le thème « Tu vois que c'est parfois utile une carte bleue », je préférais mentir.

J'ai contre-attaqué :

– Et ton père ?

– Mon père n'est pas très en forme en ce moment, s'est-elle justifiée. Il a été licencié. Il est resté au chômage pendant des mois avant de trouver un nouveau poste. Ici. C'est pour cette raison que nous avons déménagé. Il a déjà du mal à s'occuper de moi alors les complications supplémentaires…

– Et ta mère ?

– Elle est restée à Amiens pour terminer son préavis. Elle nous rejoindra dans deux mois.

– Hum… On fait comment ?

– Aucune idée. Tu ne connais personne d'autre qui accepterait de nous prêter une carte bleue ? m'a-t-elle questionné.

C'est là que j'ai réalisé. Carte bleue = banque et banque = Étienne. Élémentaire. Il suffisait de s'adresser à Étienne. Ils devaient en avoir des tas qui ne leur servaient plus à rien à sa banque. Quand je le lui ai expliqué, la fille a immédiatement été partante.

Étienne travaille le samedi et ne serait pas de retour avant 18 heures. La fille a proposé que nous allions le voir vers 18 h 30. J'ai réfléchi. Étienne serait fatigué après sa semaine de boulot. Autant attendre que les conditions soient favorables pour lui demander un service. Reposé et serein, il serait nettement plus disposé à nous aider.

La fille a semblé convaincue par mes arguments et on s'est donné rendez-vous à 16 heures chez moi le lendemain. J'aurais préféré qu'on y aille dans la matinée, mais elle n'était pas libre. Mieux valait tard que jamais.

Je l'ai raccompagnée jusqu'à la porte. Au moment de partir, elle m'a annoncé :

– Au fait mon prénom, c'est Élise.

J'avais complètement oublié de le lui demander.

– Moi, c'est Benoît.

– Je sais, m'a-t-elle crié des escaliers.

J'aurais dû m'en douter !

Une fois Élise envolée, ma mère est sortie de la cuisine. J'ai tout de suite remarqué son air à la fois ravi et soulagé. Ma mère trouve que je n'ai pas assez d'amis. Elle n'en parle qu'à mots couverts pour ne pas me braquer, même si je sais qu'elle aimerait que son fils soit plus sociable, plus « ouvert aux autres ».

C'est vrai que j'ai peu d'amis. Comme Sherlock. Mais j'ai beaucoup de copains ! Je ne suis jamais seul à la cantine, il y a toujours quelqu'un pour me passer ses cours si je suis malade et pour s'asseoir à côté de moi en classe. Je ne suis pas isolé dans la cour de récré, toutefois je l'avoue, je n'ai pas de véritable ami. Personne à qui j'aurais envie de téléphoner le soir pour parler de tout et de rien, personne avec qui je souhaiterais partager mes angoisses et mes joies, personne avec qui j'aimerais traîner un après-midi ou partir à l'aventure...

Et alors ! Je suis très content comme ça. Avec ma mère, Gertrude et mes bouquins.

Seulement là, ma mère semblait si heureuse que, pour ne pas gâcher son plaisir, j'ai omis de lui signaler qu'Élise était la plus grande chipie que j'aie jamais rencontrée. Je lui ai juste souri. Elle m'a renvoyé mon sourire en ajoutant :

– Elle est jolie.

J'ai haussé les épaules.

De retour dans ma chambre, j'ai aperçu Élise qui me saluait de sa fenêtre.

Malgré moi, je l'ai imitée. De loin elle était pas mal cette fille.

Vraiment pas mal.

PÉRIODE CRITIQUE

Dimanche après-midi, Élise a sonné à la porte à 16 heures tapantes.

– Je sors avec Élise, ai-je lancé à ma mère qui lisait un magazine dans le salon.

Ma mère m'a regardé d'un air surpris. Pour la première fois, je restais évasif sur mes futurs faits et gestes. Pour la première fois, je zappais notre goûter/partie de Cluedo dominical sans rechigner. Elle a ouvert la bouche comme pour me demander quelque chose avant de la refermer aussitôt.

– Bon, ben, j'y vais, ai-je ajouté en quittant la pièce.

– Sois de retour à 19 h 30 pour le dîner, m'a-t-elle répondu.

Quand Étienne a ouvert, je ne me suis pas attardé sur ses vêtements psychédéliques saupoudrés de sucre. Je me suis laissé entraîner par la délicieuse odeur de caramel qui s'échappait de sa cuisine.

– Tu arrives pile-poil, Benoît. Oh, bonjour mademoiselle, a-t-il ajouté en remarquant ma voisine.

– Élise, l'a-t-elle informé en lui tendant la main.

– Enchanté. Moi c'est Étienne. Les tatins à la mangue sont presque prêtes, nous a-t-il annoncé comme s'il était évident que nous débarquions à l'improviste chez lui pour nous goinfrer.

Nous sommes entrés et nous sommes assis sans y être invités sur les tabourets de la cuisine.

– Attention, c'est chaud, s'est écrié Étienne en sortant les tartelettes du four. Il faut les laisser refroidir quelques minutes. Les tatins sont meilleures tièdes. Je vais préparer un rooibos, un thé rouge d'Afrique du Sud, en attendant. Ce sera parfait avec.

Étienne a rempli la bouilloire. Alors qu'il la posait sur le feu, j'ai remarqué qu'Élise s'apprêtait à avouer le véritable mobile de notre visite. J'ai essayé de l'arrêter d'un signe, je n'étais plus aussi confiant que la veille et Étienne semblait trop concentré sur sa préparation pour l'écouter, mais elle ne m'a pas vu (ou a feint de ne pas me voir) et a commencé :

– Heu Étienne...

– Oui, a-t-il répondu d'une voix absente en sortant une théière d'un placard.

– Nous voudrions vous demander un service.

– Un service... a-t-il répété en saisissant une boîte.

– Oui. On aurait besoin d'une carte bleue... a-t-elle continué.

– Une carte bleue... a-t-il repris en écho en glissant quatre cuillerées de rooibos dans la théière.

À ce rythme, c'était clair, on serait encore là demain matin pour le p'tit-déj'.

– Pas besoin qu'elle soit valable ni rien. Et comme vous travaillez dans une banque, Benoît et moi avons pensé...

– Pensé... a-t-il poursuivi en versant l'eau frémissante.

– ... que vous en auriez peut-être une à nous prêter ! a-t-elle conclu.

– Oui, oui, pas de problème, a-t-il approuvé en posant la théière sur la table.

Élise m'a décoché un clin d'œil. Elle semblait ravie. J'étais loin d'être aussi réjoui. J'étais certain qu'Étienne ne savait pas quel service il avait accepté de nous rendre.

Il a sorti trois tasses et trois assiettes afin d'y déposer les tartelettes, il a servi le thé et s'est assis face à nous.

– Bon, a-t-il murmuré en saisissant sa fourchette. J'ai hâte de connaître votre avis.

Élise et moi nous sommes jetés sur nos tatins. Moi parce qu'ayant déjà expérimenté la cuisine d'Étienne, j'étais rassuré. Elle parce qu'elle se jetait tête baissée sur tout et rien de toute façon.

Merveilleux ! Les morceaux de mangue caramélisée fondaient dans la bouche comme un sirop subtil. La pâte était délicate et aérienne. J'ai avalé une gorgée de rooibos. Son arôme faisait ressortir le soupçon d'amande des tartelettes. C'était un rêve... culinaire. Si j'en avais eu les moyens, j'aurais investi dans le resto d'Étienne. À condition d'avoir le droit d'y manger tous les jours. Gratuitement.

Plus personne ne parlait. Étienne a fini par s'impatienter :

– Alors ?

– Fabuleux ! s'est extasiée Élise.

– Délicieux ! ai-je renchéri.

– Vous êtes sûrs ? Ce n'est pas trop sucré ? a insisté Étienne.

– Non, non, avons-nous répondu en chœur.

– Et les mangues ? Elles sont bonnes, les mangues ?

– Caramélisées juste comme il faut, ai-je confirmé.

– Et la pâte ? Elle est bien la pâte ?

– Divine, a commenté Élise.

– Et le petit goût d'amande, il n'est pas de trop ?

– Elles sont parfaites, tes tatins, Étienne, ai-je fini par craquer, égarant momentanément mon vouvoiement.

– Les meilleures que j'aie jamais mangées, a confirmé Élise en engloutissant son dernier morceau.

Étienne souriait d'un air béat. Il était en pleine lévitation gastronomique. Élise a profité de ce moment d'extase post-culinaire pour avoir confirmation :

– Vous êtes d'accord, alors ?

– D'accord pour quoi ? s'est étonné Étienne.

– Ben... Pour la carte bleue, a vacillé Élise.

– La carte bleue ? Quelle carte bleue ? s'est-il inquiété.

J'en étais sûr. Étienne n'avait rien écouté. Si tel avait été le cas, jamais il n'aurait accepté. Personne ne prête de cartes bleues. Même périmées. C'est trop dangereux.

– Ben... celle dont nous avons parlé, vous savez... a repris Élise.

– Heu... a hésité Étienne. J'avais la tête ailleurs. Tu peux m'expliquer à nouveau ?

– Voilà… on aurait besoin d'une carte bleue, a bafouillé Élise d'une petite voix.

– Vous voulez ouvrir un compte joint, a conclu Étienne dont la voix est soudain devenue plus ferme. Vous savez, il faut être majeur pour ça. Peut-être qu'avec l'accord et la caution de vos parents… enfin… je ne sais pas… je vais me renseigner.

Là, j'ai craqué. On n'allait pas tourner des heures autour de cette carte.

– Non, non. On ne veut pas ouvrir de compte. On a juste besoin d'une carte bleue pour une expérience de chimie, ai-je affabulé (ce qui était en train de devenir une habitude). Comme vous travaillez dans une banque, j'ai pensé que vous auriez des cartes en rab et que vous pourriez nous en prêter une.

– Mais je n'en ai pas, moi, des cartes en rab! s'est exclamé Étienne. Quand elles ne sont plus valables, on les détruit. Mesure de sécurité.

Cette règle sécuritaire m'aurait rassuré. Avant. Là, elle allait à l'encontre de mes objectifs et j'étais déçu. Plus que déçu. J'étais désespéré. Mon plan était arrivé à échéance et mon dernier espoir se soldait par un échec.

J'ai regardé Élise. Elle était aussi effondrée que moi. Quand il a vu nos têtes, Étienne nous a proposé :

– Je peux vous prêter la mienne.

C'était gentil, mais j'avais peur qu'une fois que nous nous en serions servi, sa carte ne soit plus d'aucune utilité bancaire.

– On risque de l'abîmer, l'ai-je prévenu.

– Oh, ça, pas de souci, a rigolé Étienne.

– Abîmée comme dans inutilisable, ai-je insisté alors qu'Élise me foudroyait du regard.

– Ne vous inquiétez pas ! Elle arrive à échéance demain de toute façon.

Ce type était quand même un peu à côté de la carte. Il nous connaissait à peine, malgré tout il était d'accord pour nous confier sa carte bleue. Sans aucune garantie. Sans la moindre assurance. Et ce genre d'individu s'occuperait de mon argent et de mes comptes plus tard. De quoi frémir !

– Vous êtes certain que cela ne vous gêne pas ? ai-je voulu m'assurer alors qu'Élise me donnait des coups de pied sous la table.

– Non, non. À une condition… a-t-il ajouté.

– Oui ? ai-je demandé d'une voix plus soulagée que je ne l'aurais voulu.

– Il faut me promettre de la détruire après. On ne sait jamais. Si elle tombait entre de mauvaises mains…

Comme quoi, Étienne n'était pas aussi naïf qu'il en avait l'air. Ce qui ne l'empêchait pas d'accorder sa confiance. Parfois. À certaines personnes.

Élise a sauté de son tabouret, s'est précipitée vers lui et l'a embrassé sur les deux joues. Étienne a souri. Moi, j'étais un peu agacé. C'était moi qui connaissais Étienne. C'était moi qui avais eu cette idée. C'était grâce à moi que nous allions avoir une carte bleue. Pourquoi n'était-ce pas dans mes bras qu'elle s'était jetée ? Non seulement elle ignorait tout de mon périmètre de sécurité, mais commençant à la connaître j'étais certain que même si elle l'avait appris, cela ne l'aurait jamais arrêtée. Elle préférait juste embrasser Étienne. Ou n'importe qui. Plutôt que moi.

Alors que nous nous apprêtions à partir, Étienne nous a demandé de déposer une tatin chez Annabella. Avant que j'aie prononcé un mot, Élise avait accepté de s'en charger.

Elle m'a accompagné jusqu'à ma porte et nous nous sommes donné rendez-vous à 23 h 30 devant chez Viviane. Nos parents seraient couchés à cette heure-là et plus personne ne traînerait dans l'immeuble.

J'avais hâte.

Et un peu la frousse aussi…

PAROXYSME

Le stress me coupant l'appétit, j'ai à peine touché au saumon grillé et aux épinards qu'avait préparés ma mère. En plus, la tatin d'Étienne avait déjà rempli son rôle nourricier.

N'empêche, je culpabilisais.

Vis-à-vis de ma mère qui essayait de préparer des plats sains en respectant mon objectif de cinq fruits et légumes par jour comme je le lui avais demandé.

Vis-à-vis de mon capital santé que je mettais à découvert en le gavant de glucides plutôt que de protéines.

Or j'avais besoin d'énergie.

Pour ce soir.

C'était compter sans l'adrénaline.

À 22 h 30, j'étais surexcité. Je tournais en rond dans ma chambre comme une Gertrude en aquarium. Pour me calmer, j'ai décidé de faire mon point pharmacie. Un dimanche soir sur trois, je vérifie que je dispose de tous les médicaments de première nécessité en quantité suffisante, je dresse une liste de ceux qui manquent et je trie mes ordonnances. Malade, toujours prêt !

Ma mère affirme que c'est inutile. D'après elle, je bénéficie d'une santé « insolente ». Premièrement, je ne vois pas en quoi ma santé, « par son caractère extraordinaire, serait une provocation envers la condition commune » (cf. le dico). Deuxièmement, si je suis rarement malade, c'est justement parce que je me soigne. Il suffit de raisonner à rebours pour le comprendre (cf. Sherlock).

Quand je suis arrivé devant l'appartement de Viviane, Élise était déjà là. Elle m'attendait. Elle avait enfilé un tee-shirt et un pantalon de jogging noirs pour passer inaperçue. Ça lui allait drôlement bien ! La seule chose qui dénotait dans son habillement était la grosse tache rousse dont s'ornait sa poitrine.

– Qu'est-ce qu'il fiche là, lui ? lui ai-je demandé.

– Belzébuth ? J'ai pensé que c'était une bonne idée de l'emmener. Pour créer une diversion. Au cas où... m'a-t-elle expliqué alors que le démon lançait un miaulement courroucé.

– Mouais... ai-je commenté en pensant que ce chat avait un prénom qui lui allait comme une litière.

– Et puis si quelqu'un nous surprend, on pourra raconter qu'il s'était enfui dans les escaliers et que nous étions partis à sa recherche, a-t-elle ajouté.

– Ce n'est pas une mauvaise idée, ai-je été obligé de reconnaître.

J'ai jeté des regards d'agent secret sur le palier tout autour de nous avant de sortir la carte bleue de ma poche d'un mouvement souple. Je me suis approché de la porte et j'ai essayé de mimer le vrai pro qui sait ce qu'il fait pour impressionner Élise.

– Pourquoi tu fais cette tête-là ? m'a-t-elle aussitôt demandé, cassant d'une question ma stratégie.

– Quelle tête ? ai-je répliqué en tentant de conserver un air détaché.

– On dirait que tu as avalé ton thermomètre. Tu as peur ?

Pour le côté homme fort et rassurant, c'était raté. Non seulement Élise n'était pas impressionnée, mais elle était persuadée que j'étais un froussard. Hypocondriaque de surcroît (vu sa référence mesquine à mon thermomètre).

J'ai préféré ne pas lui répondre, histoire de ne pas m'enfoncer. J'ai glissé la carte bleue d'Étienne au-dessus de la serrure. Je l'ai fait descendre lentement pour ne pas trop l'abîmer et puis… rien. La porte ne s'est pas ouverte. J'ai essayé à nouveau. Plus vite cette fois. Toujours rien.

— Ça ne marche pas ! me suis-je énervé.

— Laisse-moi essayer, m'a-t-elle ordonné d'une voix ferme.

— Parce que tu penses peut-être que tu t'en sortiras mieux que moi ? ai-je rétorqué vexé. Ça ne marche pas. Point final.

Élise m'a fourré son diable dans les bras. Il a sursauté et a aussitôt sauté sur le sol pour se jeter dans les jambes de sa traîtresse de maîtresse qui venait de m'arracher la carte bleue des mains. Elle l'a à son tour glissée au-dessus de la serrure et l'a fait descendre d'un coup sec. Et là… on a entendu un déclic.

Élise m'a lancé un regard triomphant que j'ai feint de ne pas remarquer. Elle avait réussi. La belle affaire !

À ce moment, la porte s'est ouverte en grand et on s'est retrouvés nez à nez avec un type échevelé qui nous dévisageait d'un air suspicieux. Le cambrioleur semblait aussi surpris que nous.

– Mais qu'est-ce que vous faites là, vous deux ? nous a-t-il demandé avec une pointe d'accent germanique.

Avant qu'Élise et moi ayons le réflexe de nous enfuir, Viviane est apparue derrière lui. Elle avait les mains couvertes de sang. Le mien n'a fait qu'un tour et je suis tombé dans les pommes.

RÉSOLUTION

Plus tard, quand je me suis réveillé, j'étais allongé sur un canapé. Élise et Viviane discutaient.

– Il a téléphoné aux hôpitaux pour se renseigner, lui expliquait Élise.

– Oh, mon Dieu, si j'avais su, j'aurais appelé Étienne pour le prévenir, se désolait Viviane.

Dès qu'elle a remarqué que j'ouvrais les yeux, elle s'est précipitée vers moi et m'a demandé d'une voix douce :

– Ça va, Benoît ?

– Oui, oui, ai-je marmonné.

J'avais répondu par automatisme. Quand les gens vous posent ce genre de question, ils attendent ce type de réponse.

Il n'y a que si vous voulez vous débarrasser d'eux (ou s'il s'agit de votre mère) qu'il faut rentrer dans le détail de vos problèmes de santé et autres. Sinon, il est préférable d'adopter une réponse forme olympique avec médailles et trophées dans la voix. Mais Viviane restait inquiète.

– Tu es sûr? Tu n'as pas besoin de voir un médecin? Tu n'as mal nulle part? m'a-t-elle interrogé.

J'ai hésité. J'ai réfléchi. J'ai analysé mes sensations. Et puis, j'ai réalisé. Je me sentais bien. Vraiment.

– Non. Promis.

– Pourtant tu t'es évanoui tout à l'heure, a-t-elle insisté.

– Oh, ça c'était une simple réaction à la vue du sang, lui ai-je expliqué.

J'ai regardé ses mains. Elles étaient immaculées.

– Le rouge sur vos mains... le sang... ai-je balbutié.

– Attends, m'a ordonné Viviane.

Elle s'est levée pour décrocher le téléphone.

– Allô? Bonjour monsieur. Je suis Viviane Mandel. Je vous ai téléphoné il y a quelques minutes pour une urgence. Oui... Non, je vous appelais pour annuler la visite... Il s'est réveillé. Il est en pleine forme... Oui. Il s'est juste évanoui parce qu'il a cru voir du sang... De l'hématophobie... Hum... D'accord... Merci encore.

Viviane a raccroché et est revenue vers moi.

– Excuse-moi. J'ai téléphoné à SOS Médecins quand tu t'es évanoui. J'aurais préféré appeler ta mère, seulement Élise m'a soutenu que ce n'était pas une bonne idée... Donc tu as cru que j'avais du sang sur les mains ?

– Oui.

– Tu as une sacrée imagination, a-t-elle rigolé. Ce n'était pas du sang mais du rouge carmin. De la peinture. Je suis peintre. J'étais en train de travailler quand Anton a entendu de drôles de bruits à la porte.

Je me suis senti un peu ridicule, heureusement Élise s'est précipitée à ma rescousse.

– C'est vrai que ça ressemblait vachement à du sang, a-t-elle observé.

– Élise m'a tout raconté. Alors comme ça, tu t'es inquiété pour moi, a repris Viviane.

– Ben oui... ai-je hésité.

– Je suis désolée. Je sais qu'on se saluait chaque matin, mais je ne pensais pas que c'était si important, a-t-elle continué.

– Peut-être pas pour vous, ai-je rétorqué, blessé.

– Non, non, je ne voulais pas dire ça, s'est-elle excusée. Juste pas important au point que tu t'inquiètes autant… si je m'absentais… Je n'avais pas imaginé que tu te ferais du souci si je n'étais pas au rendez-vous pendant quelques jours…

– C'est surtout que ce n'était pas comme d'habitude, me suis-je défendu.

– Pas comme d'habitude, a-t-elle réfléchi. Oui. En effet. Et c'est ça qui t'a embêté ? Que ce soit différent, nouveau, inattendu ? Tu n'aimes pas que les choses changent ?

– C'est pas mon truc, c'est tout. Alors vous étiez où ? Que vous est-il arrivé ? lui ai-je demandé pour esquiver la séance de psychanalyse qui pointait son divan.

– Un coup de foudre, a-t-elle souri. Je suis partie passer un week-end à Berlin. Certaines de mes toiles étaient exposées dans une galerie et je voulais être présente pour le vernissage. Je ne pensais rester qu'un jour et demi et être de retour dimanche soir. Seulement j'ai rencontré Anton. Et… voilà… je suis restée une semaine de plus et lui est venu passer une semaine ici.

Je ne savais plus quoi répondre. Je m'étais inquiété. Pour elle. Pour rien. Puisque pendant ce temps, elle était tranquillement en train de tomber. Amoureuse. Mais qu'aurait-elle pu faire ? Elle ne me connaissait pas.

Elle n'allait pas me téléphoner (surtout qu'elle n'avait pas mon numéro) pour m'annoncer qu'elle avait rencontré le grand amour et ne serait pas là pour ouvrir ses volets.

– Tu sais, a-t-elle repris, l'imprévu, ça a du bon. Pas toujours, je te l'accorde, mais parfois. Regarde ce tableau, sans le rouge carmin il ne serait pas aussi doux, aussi sensuel.

J'ai suivi son geste et j'en ai profité pour observer son salon. Un immense chevalet trônait au milieu. Des dizaines de pots de peinture se disputaient une place sur le sol. Des tableaux se reposaient contre les murs. J'ai alors perçu l'odeur entêtante qui régnait dans la pièce. Une odeur de térébenthine. J'étais étonné de ne pas m'en être rendu compte plus tôt. Et de ne pas avoir développé d'allergie respiratoire. Pour l'instant.

– J'avais prévu une lumière bleue, un peu froide, de jour, a-t-elle continué. Et puis, j'ai renversé du rouge carmin sur la toile en voulant attraper mon pot de bleu cobalt. Quand j'ai vu l'effet que cela donnait, j'ai réalisé que je m'étais trompée. L'ambiance ne devait pas être dure, mais tendre, chaude, orangée. Une atmosphère ensommeillée. De coucher de soleil. J'ai donc décidé de changer les tonalités et d'ajouter du rouge et du jaune plutôt que du bleu.

J'ai regardé le tableau. Au premier plan, on apercevait un personnage endormi de dos (un homme ou une femme, impossible de savoir) et derrière lui, la fenêtre de sa chambre. Celle-ci donnait sur une autre fenêtre. Celle de l'immeuble d'en face. C'était une scène à la tombée de la nuit. Le tableau était très doux. Troublant. Qui était ce personnage? Dormait-il ou observait-il la silhouette qui se dessinait dans l'embrasure de la fenêtre opposée? Le mystère de cette étude en rouge demeurait entier.

– La vie, c'est comme un tableau. Il y a des choses que tu contrôles et puis d'autres pour ou contre lesquelles tu ne peux rien. Parfois c'est pour le pire, parfois pour le meilleur. Un clair-obscur. Comme de légers coups de pinceau sur la toile de ta vie qui la modifient et qui te font changer. Petite touche par petite touche.

– Hum... ai-je marmonné, sceptique.

– Si tu étais resté chez toi à te morfondre et que tu n'avais pas décidé d'enquêter, si tu avais poursuivi ta routine, si tu avais fait ce que tu fais toujours, rien ne serait jamais arrivé... Nous ne serions pas en train de discuter en ce moment...

– Mmm...

– Tu n'aurais pas rencontré Élise, a-t-elle développé.

– Peut-être, ai-je concédé, même si je l'avais surtout rencontrée à cause de la chute de mes livres.

Mais bon, je n'aurais pas dû me trouver dans le hall à cet instant. Si j'avais été à la bibli l'après-midi comme d'habitude, je ne l'aurais en effet jamais croisée. En tout cas, pas à ce moment-là.

– Depuis combien de temps habites-tu ici ? m'a-t-elle demandé.

– Onze ans et... six mois.

– Tu vois, a-t-elle insisté. Jusqu'à ma disparition, tu n'avais jamais cherché à savoir qui habitait au-dessus de chez toi.

– C'est vrai, ai-je admis.

– Et tu ne connaissais pas Annabella.

– Oui, oui. J'ai compris. Vous avez raison, l'ai-je coupée. Je ne connaissais pas non plus les fous qui habitent en dessous de chez vous, remarquez !

– Tu exagères. Ils ne sont pas si terribles que ça, m'a-t-elle contredit. D'ailleurs, je leur ressemblais beaucoup au même âge.

Comme je la fixais, étonné, elle a ajouté en rigolant :

– On change...

GUÉRISON

À cet instant, la sonnette a retenti dans l'appartement. Anton s'est dirigé vers l'entrée avec Belzébuth dans les bras.

– Heu... bonsoir, a bredouillé Anton.

– Que fait Belzébuth dans vos bras ? a hurlé une voix d'homme en colère.

– Heu... nichts, a répondu Anton en perdant son français et le chat qui est venu se jeter sur Élise.

Le lâche !

– Laissez-moi passer ! a crié la grosse voix.

Là-dessus, un grand type très énervé est entré dans le salon. Pourchassé par ma mère. Poursuivie par Annabella. Suivie par Étienne.

Il s'est précipité vers Élise en criant :

– Qu'est-ce que tu fais là, bon sang ? À... à... minuit et demi.

– Calme-toi papa, a répondu Élise en souriant.

– Me calmer, me calmer, a-t-il répété en s'énervant de plus belle. Tu as perdu la tête ou quoi ? Tu as école demain, je te rappelle. Ton nouveau collège, tu t'en souviens ? Qu'est-ce que tu fais chez nos voisins en pleine nuit ?

– Heu... c'était une de mes idées, suis-je intervenu dans un sursaut téméraire.

Le père d'Élise m'a lancé un regard furibond comme si j'étais responsable de ça et du reste (la famine, le réchauffement de la planète, le terrorisme, la grippe A et j'en passe). Viviane s'est interposée :

– C'est ma faute, monsieur... monsieur...

– Dorméon. Monsieur Dorméon... a grogné le père d'Élise.

– Monsieur Dorméon. Voilà, c'est entièrement ma faute. J'ai été absente quelques jours et Benoît s'est inquiété en voyant que mes volets restaient fermés. Il a eu peur qu'il me soit arrivé quelque chose, que j'aie eu un accident...

– Mmm... a grommelé le père d'Élise.

– Il a donc décidé d'enquêter, a repris Élise. Il a interrogé tous les voisins.

– Personne n'a pu l'aider. Nous ne savions rien, a continué Annabella.

– J'ai pensé qu'on pourrait s'introduire chez Viviane, a expliqué Élise. Pour cela il nous fallait une carte bleue. Et comme je n'osais pas t'en parler car je savais que tu avais d'autres soucis et que la mère de Benoît ne possède pas de carte bleue...

Ma mère m'a dévisagé d'un air interloqué. J'ai détourné la tête.

– ... ils ont emprunté la mienne, a conclu Étienne.

Le père d'Élise a levé les yeux au ciel.

– Nous nous sommes donné rendez-vous devant l'appartement de Viviane, ce soir à 23 h 30, ai-je continué en évitant le regard affligé du père d'Élise et la mine ahurie de ma mère. Nous ne voulions pas qu'on nous repère. Nous avions décidé d'entrer dans un appartement sans autorisation.

– Et sans les clés, a ajouté Annabella.

– Bref, c'était dangereux, ai-je repris. Mais nous avons dû faire du bruit.

– Et moi j'étais *hier*[1], a expliqué Anton en montrant l'entrée du doigt.

1. « Ici » en allemand.

– Quand il a entendu du bruit, a complété Viviane, Anton a ouvert la porte. Je l'ai entendu parler et je me suis approchée. J'avais les mains pleines de peinture rouge car j'étais en train de peindre…

Le père d'Élise a regardé autour de lui. Vu sa tête, il était clair que l'état de l'appart version atelier en chantier ne plaidait pas en faveur de sa propriétaire.

– … Benoît a cru que c'était du sang et comme il est… heu… hématophobe… il s'est évanoui, a poursuivi Viviane.

– Voilà, tu sais tout, a conclu Élise en observant son père.

Je ne sais pas ce qu'il avait compris à ce charabia. Il avait l'air un peu déboussolé. Il frottait frénétiquement ses mains l'une contre l'autre, se mordillait la lèvre supérieure et se balançait d'avant en arrière comme s'il était sur le point de décoller. Heureusement, Anton a eu la bonne idée de lui servir un grand verre rempli d'un liquide ambré qui ressemblait fort à de l'alcool. Il l'a bu d'une traite, est devenu aussi rouge qu'une Gertrude et a toussé frénétiquement avant de s'effondrer dans un fauteuil.

Du coup, on a pu souffler et se détendre. Anton a apporté des verres et a ouvert une bouteille de vin. Viviane nous a offert du jus d'ananas à Élise, moi et… Étienne.

Pendant que Viviane racontait son voyage, ma mère s'est approchée de moi.

– Tout va bien, mon chéri? m'a-t-elle demandé.

– Oui, oui, je me suis juste évanoui.

Ma mère m'a regardé d'un drôle d'air avant de hocher la tête. Je la comprenais. « Juste » et « évanoui » étaient des mots que je n'aurais jamais utilisés dans la même phrase. Avant.

J'avais peur qu'elle me gronde, qu'elle me fasse des reproches, qu'elle jette sur le tapis tous les mensonges dont je l'abreuvais depuis une semaine. Mauvaise déduction. Elle a laissé sa main glisser sur ma joue, tendrement, avant de prendre part elle aussi à la discussion.

Trois bouteilles de vin et neuf verres de jus d'ananas plus tard, nous avons réveillé le père d'Élise qui s'était assoupi dans le fauteuil et avons quitté Anton et Viviane.

Une fois dehors, nous avons salué Élise et son père qui avait retrouvé une couleur et un ton normaux (même s'il était parsemé de fréquents bâillements) alors qu'ils s'apprêtaient à remonter chez eux.

Élise avait commencé à grimper les escaliers quand elle est redescendue en courant pour m'embrasser sur la joue.

– Merci, a-t-elle murmuré en esquissant un sourire.

– Merci ? ai-je rougi.

– D'avoir pris ma défense. C'était drôlement courageux de ta part.

Une bouffée de fierté m'a envahi. Ma mère m'a regardé en souriant et Étienne m'a mitonné un clin d'œil.

Nous avons raccompagné Annabella chez elle. Avant d'entrer dans notre appartement, nous avons salué Étienne. C'est seulement lorsqu'il s'est engagé dans les escaliers que j'ai remarqué sa tenue. Il portait un pyjama orange à pois jaunes avec des chaussons à tête de... poussins.

Ma mère a préparé un chocolat chaud à la cannelle et m'a tout raconté.

Le père d'Élise s'était réveillé en pleine nuit et avait été vérifier que sa fille dormait sereinement. Quand il ne l'avait pas trouvée, il avait paniqué. Il était accouru chez ma mère parce qu'il savait qu'Élise m'avait rendu visite. Il espérait qu'elle était au courant de quelque chose. Ma mère avait essayé de le rassurer mais, quand elle avait constaté que moi non plus je n'étais pas dans mon lit, elle avait pris peur.

Ils étaient montés chez Étienne car ma mère nous avait entendus sonner chez lui et entrer dans son appartement. Comme quoi, elle me surveillait plus que je ne l'avais soupçonné. Étienne leur avait parlé de la carte bleue, puis il s'était souvenu qu'il avait demandé à Élise de déposer une tatin chez Annabella. Ils étaient alors descendus tous les trois chez elle.

Dès qu'Annabella avait reconnu Étienne, elle leur avait ouvert. Elle m'avait vu traverser la cour vers 23 h 25. Quand Étienne avait mentionné la carte bleue, Annabella avait aussitôt compris ce que nous voulions faire et les avait accompagnés chez Viviane.

Voilà. Je m'étais inquiété pour Viviane pendant une semaine et, en une soirée, j'avais réussi à faire en sorte que tout le monde s'inquiète. Pour Élise et moi.

Ma mère m'a bordé comme quand j'étais petit et, avant d'éteindre la lumière, elle a murmuré d'un ton mystérieux :

— Je ne savais pas…

— Pas quoi ?

— Que j'avais mis au monde un futur détective, a-t-elle précisé avec un sourire moqueur. Un vrai Hercule Poirot.

– Je préfère Sherlock, l'ai-je informée.

Ma mère a réfléchi quelques secondes avant d'ajouter :

– Je comprends mieux à présent pourquoi tu étais aussi étrange cette semaine. L'explication était...

– ... élémentaire ! avons-nous conclu en riant.

CONVALESCENCE

Plusieurs mois se sont écoulés depuis que tout cela est arrivé et ma vie a pas mal changé. Pas entièrement. Heureusement!

J'habite toujours au même endroit.

Je suis toujours inscrit dans le même collège.

Ma mère est toujours fleuriste et m'appelle encore avant de quitter sa boutique.

Je vérifie tous les soirs que mes ganglions n'ont pas grossi pendant la journée et, tous les matins, je prends ma température.

Gertrude est toujours aussi rouge et sereine.

Viviane et moi nous saluons chaque matin à 7 heures. Et chaque fois, cela me plonge dans la bonne humeur.

Même quand je n'ai pas le moral.

Même quand je n'ai pas envie de partir au collège.

Même quand il pleut.

Même quand je suis malade.

Quant à mon bureau, il a depuis longtemps retrouvé sa place originelle. À l'abri de tout rayon cancérigène.

Mais il y a eu pas mal de changements.

Chaque matin, Élise accroche un foulard à sa fenêtre.

S'il est rouge, je pars au collège sans elle car ça signifie qu'elle est encore à la traîne et que je risque d'arriver en retard si je l'attends.

S'il est vert, nous avons rendez-vous devant les boîtes aux lettres à 7 h 45.

Certains soirs, nous nous retrouvons devant les grilles pour rentrer ensemble. Nous sommes dans des classes différentes, mais nous sortons à la même heure les lundi, mercredi et vendredi.

Le vendredi, nous passons chez Étienne pour tester ses spécialités de la semaine. Nous sommes devenus goûteurs officiels !

Je rends régulièrement visite à Annabella. Je suis devenu son complice alors j'ai maintenant le privilège de l'appeler par son prénom. Je l'aide parfois pour ses courses. Comme elle est profondément orgueilleuse (et un peu casse-pieds sur les bords), c'est compliqué... Pour les polars, nous avons mis au point une stratégie. Je les lis en premier et note sur un morceau de papier le nom du coupable et la page à laquelle je l'ai découvert. Je les prête ensuite à Annabella qui fait de même. Le samedi matin, nous comparons nos résultats. Elle gagne souvent. Je la soupçonne de les avoir déjà lus et de tricher. Elle, elle soutient que ses grigris lui portent chance. Le reste du temps, nous cherchons un nom au futur resto d'Étienne. Pour l'instant, nous n'avons rien trouvé de fracassant, mais nous ne désespérons pas.

Étienne va bientôt en avoir besoin. Il a obtenu un emprunt de sa banque. Minuscule avec de gros intérêts. Ce qui ne l'empêche pas d'être heureux, alors...

Je croise souvent Alexandre, ou monsieur Dreadlocks comme je le surnomme, dans le hall. Contre toute attente, j'ai appris à l'apprécier. Il est DJ et tente de m'initier à la musique, enfin celle qu'il aime : la techno. Il me prête régulièrement des CD. Je me force à les écouter. J'essaie de m'y intéresser. Pas gagné...

Belzébuth et moi avons conclu un accord oculaire de non-ingérence mutuelle. Nous nous évitons. Tout bêtement.

Quant à ma mère, elle est ravie. Elle trouve que je suis plus épanoui, plus détendu, plus sociable. Enfin, ma mère quoi... l'optimisme comme mode de vie.

Ce soir, quand je suis rentré, j'ai découvert un petit mot de Viviane dans notre boîte aux lettres. Elle part quinze jours à Berlin pour retrouver Anton. Elle m'a laissé ses clefs pour que j'arrose ses plantes. Elle a trois cactus alors inutile d'être Sherlock pour comprendre qu'il s'agit d'une excuse bidon visant à éviter que je flippe comme la dernière fois.

En arrivant, je me suis installé à mon bureau pour commencer mes devoirs, non sans avoir d'abord vérifié que Gertrude était toujours en pleine forme. Au moment où j'ouvrais mon cahier, je ne suis pas parvenu à m'empêcher de penser :

Pourvu que je ne perde pas ses clés...

Elles pourraient atterrir dans les mains d'une personne mal intentionnée.

On ne sait jamais...

POST-SCRIPTUM

Et l'appart vide alors ?

Annabella m'a appris qu'il était habité par un étudiant en médecine. Il est interne à l'hôpital. Il travaille la nuit et dort le jour. C'est pour cette raison qu'on ne le voit jamais.

Il se prénomme Victor avec un V comme dans V. Halcyon.

Un futur médecin à proximité…

Le rêve !

TABLE DES MATIÈRES

L'AUTEUR

D'après des sources dont on espère qu'elles sont fiables, **Éléonore Cannone** serait née à Paris dans les années 1970 et porterait un pseudonyme.

Après avoir tenté de devenir :

- profileuse mais elle a été recalée à l'examen d'entrée du FFBI (*French Federal Bureau of Investigation*) parce qu'elle ne savait pas siffler ;

- suiveuse professionnelle mais elle se faisait systématiquement repérer car elle adore les chapeaux insolites ;

- vétérinaire pour poissons rouges mais personne n'avait encore pensé à inventer ce métier ;

elle a finalement choisi de raconter des histoires dans lesquelles ses personnages pourraient enquêter, espionner leurs voisins et soigner des poissons rouges en toute tranquillité.

Elle a déjà publié, sous le même nom, un autre roman *Changement de famille* dans la collection Rageot Romans.

L'HÔTEL DES QUATRE SAISONS

Au fil des saisons, Martin, le jeune groom, enquête dans un grand hôtel parisien.

Une série de Paul THIÈS

Un printemps vert panique

Il fait beau, le printemps est là, pourtant la vieille comtesse qui appréciait Martin est morte et il se sent menacé. Il a l'impression d'être espionné et suivi. Mais par qui et pourquoi ?

Un été bleu cauchemar

Martin, groom à l'hôtel des Quatre Saisons, découvre le cadavre d'un client et décide de mener son enquête. Sa vie bascule quand il devient la cible du tueur.

Un automne rouge sang

Qui cherche à nuire à M. Sartahoui, un paisible et érudit client de l'hôtel des Quatre Saisons ? Martin et son ami Medhi mènent l'enquête à Montmartre.

Un hiver blanc frisson

Mme Desmoulins, la mère de la belle Marie-Décembre, demande à Martin de voler un fabuleux diamant ! Acceptera-t-il de commettre ce délit par amour ?

Retrouvez tous les titres de la collection

Heure noire

sur le site **www.rageot.fr**

Achevé d'imprimer en France en septembre 2010
par Hérissey à Évreux
Dépôt légal : octobre 2010
N° d'édition : 5216 - 01
N° d'impression : 114798